EXCEL FINANCIAL MODELING FOR
INVESTMENT PROFESSIONALS

外資系金融の
Excel作成術

表の見せ方&財務モデルの組み方

慎 泰俊

東洋経済新報社

はじめに

　本書は、いわゆる「Excel本」ではありません。Excelを使ったことがない方のための入門書ではありませんし、すべての関数の使い方や機能を網羅している解説書でもありません。なので、Excelをまったく使ったことがない人は、本書を読み進めるにあたって、手元にExcelの入門書や解説書を置いておくと良いでしょう。辞書代わりに使うことになるので、分厚いほど役立ちます。[*1]

　では、この本には何が書かれているのか。大きく分けて、二つのことが書かれています。モルガン・スタンレーをはじめとする金融機関で、私がこれまで投資や金融のプロフェッショナルとして仕事をしてきたなかで培った、「見やすいExcelの表の作り方」と「本格的な財務モデルの組み方」です。

■ Excelの表にも見た目の美しさが求められる

　前者は、Excelを用いて作る資料の「見た目」を劇的に向上させるノウハウです。本編で詳しくご紹介しますが、日本の企業で作られているExcelの表は、グローバル企業で働く人々から（すなわち世界のビジネスパーソンから）、「見にくい」あるいは「醜い」と不興を買っていることが多々あります。見た目が悪いと、いくら分析の内容が良くても、相手にマイナスイメージを与えてしまいます。ビジネスに悪影響を与えるだけでなく、それを作成した人の能力も疑われてしまいかねません。

　巷にあふれる「Excel本」では、操作や機能の紹介はされていますが、グローバルビジネスで使っても恥ずかしくないExcelの表の作り方は書かれていません。実は外資系投資銀行をはじめとするグローバルファームには、

[*1] オススメは、秀和システムの「パーフェクトマスター」シリーズか、インプレスジャパンの「できる大事典」シリーズです。どちらも、1000ページくらいの厚みのある本で、ほとんどすべての機能がもれなく掲載されています。

フォント（書体）や罫線についてまで、Excelの表の作り方のルールがあるのです。本書ではそのルールについて、まずご紹介します。

■ Excelでできる本格的企業分析

本書で皆様にお伝えしたいことのもうひとつは、財務モデルの組み方です。こちらが本命と言っても過言ではありません。本格的な企業分析、財務分析ができるようになるこのスキルは、投資銀行や投資ファンド、企業の経営企画部や財務部門で働く人にとって必須のスキルであるだけでなく、将来、経営に携わることを考えているビジネスリーダーにとっても、非常に重要なスキルです。にもかかわらず、これまで財務モデルの組み方をきちんと解説した本は、多くありませんでした。

■ 表・モデルとは

言葉の確認をしておきましょう。表の説明はあまり要らないと思いますが、行と列からなっていて、それぞれ必要に応じて項目があるものです。たとえば、学校の時間割などは表ですね。

図表0-1 表の例

	月	火	水	木	金
1時限目	総合	自立	英語	数学	道徳
2時限目	社会	理科	国語	社会	技家
3時限目	音楽	数学	社会	国語	数学
4時限目	英語	保体	数学	保体	保体
5時限目	理科	国語	総合	理科	自立
6時限目	国語	英語	英語	特活	美術

これに対して、モデルとは「あるインプットに対し、アウトプットを返す

仕組み」のことです。モデルも、見た目は普通の表と変わりはありませんが、中身は違います。表の中の一部の数字や項目を変更すると、他の項目も変化することが、モデルと表の違いです。たとえば、次の表を見てみましょう。

図表0-2　モデルの例①

収支予測

	2010	2011	2012	2013	2014	2015	2016
売上の成長率	5%	5%	5%	5%	5%	5%	5%
売上	105.0	110.3	115.8	121.6	127.6	134.0	140.7
営業利益率	10%	10%	10%	10%	10%	10%	10%
営業利益	10.5	11.0	11.6	12.2	12.8	13.4	14.1

他のセルに変化を与える項目
他のセルによって変化する項目

　この表では、ハイライトされた項目以外の数値は、すべて数式によって計算された結果になっています。たとえば、2011年以降の成長率や営業利益率は2010年の数字と等しくなるように式が組まれており、売上は各年の成長率に応じて変化します。営業利益も、営業利益率と売上の掛け算で求められます。たとえば、売上の成長率を5%から10%に変えてみましょう。すると、ハイライトされていない項目が変わっていきます。

図表0-3　モデルの例②

収支予測

	2010	2011	2012	2013	2014	2015	2016
売上の成長率	10%	10%	10%	10%	10%	10%	10%
売上	110.0	121.0	133.1	146.4	161.1	177.2	194.9
営業利益率	10%	10%	10%	10%	10%	10%	10%
営業利益	11.0	12.1	13.3	14.6	16.1	17.7	19.5

他のセルに変化を与える項目　　　**インプットが変わることで、アウトプットが自動的に変化**
他のセルによって変化する項目

はじめに　003

このように「"他のセルに変化を与える項目（インプット）"と"他のセルによって変化する項目（アウトプット）"だけでできている表」のことをモデルといいます。そして、モデルの中でも特に、企業の財務予測に用いられるモデルを「財務モデル」といいます。本書の最終的な目標は、この財務モデルを使いこなせるようになることです。

▰ 本書の構成

　本書は2部構成となっています。第1部「基礎編」では、見やすいExcelの表の作り方を紹介します。いくつかのルールを守ることで、表の見た目は随分と良くなります。また、Excelの作業を速くするヒントについてもご紹介します。第2部で紹介する財務モデルは、慣れないうちは組むのに相当時間がかかります。財務モデルを使いこなすためにも、ここで知っておくと便利な機能、関数の使い方について説明します。

　第2部「モデル編」では、Excelを使った財務モデルの組み方について解説します。モデルの概要と、なぜモデルが必要とされるのかを知っていただいた後に、例題を用いながら、ゼロから最後まで財務モデルを作るためのプロセスを丁寧に解説します。第2部ではある程度の会計の知識が必要とはされますが、初心者であっても参考書を手元に置いておけば読み進められるようにしてあります。

▰ 本書の想定読者別の読み方

　本書は、幅広い方に読んで貰いたいと思いますが、想定読者別に、次のような読み方をしていただければと思っています。

1）M&A、財務、経営企画など、会計の数字に関わる仕事をしている人
　この人々は、仕事で財務モデルを使うことが必須の、本書の主な想定読者です。具体的には、投資銀行、投資ファンド、コンサルティング会社、監査法人、商社など事業投資を行う会社、事業会社のM&A室、経営企画室、

財務部などで働いている人です。

　こういった読者の中にはExcelの操作に精通している方も多いと思いますので、第2部から読み進めていただいてもかまいませんが、自己流あるいは会社のテンプレートを流用して作ってきたために、世界で共有されている「見やすいExcel表」の作り方を知らない方も多いものです。また、私の経験上言えることですが、第1部に書かれている「速く作業をするヒント」についても、すべてをマスターしている方はほとんどいません。

　なので、第1部についてもざっと目を通し、自分に足りないものがあれば吸収していただきたいと思います。

2）上記以外の職種で、仕事でExcelを使う人
　具体的には、営業、データ分析、R&D、研究職の人などを想定しています。この方々にとっては、第1部が特に劇的な効果をもたらし、即効性があると思われます。また、経営や財務の世界にも挑戦したいと思っている方なら、ぜひ第2部についても読んでみてください。

3）Excelをあまり使ったことはないが、仕事や生活に役立てたい人
　財務モデルの作り方がわかれば、家計簿やスケジュールの管理にそれを応用することができます。ただし本書はある程度Excelを使ったことがある人を対象に書かれているので、本書を読む前に、解説書などを読んで、1カ月くらいExcelを使ってみてから本書に取り組むと良いでしょう。

　Excelを用いて様々な表や計算モデルを作るのはずっと私の仕事でした。モルガン・スタンレーに入社間もない頃には、こういったExcel作業が得意であることは生き残るための大切な条件でした。というのも、仕事が遅いか、またはその質が低いと、文字通り眠れない日々を過ごすことになり、それがさらに仕事の質を落とすという、恐ろしい負の連鎖を生み出すからです。パフォーマンスが良くない人は、不況などで人員整理があるときにはあっさり解雇の対象となります。

そんな職場で働きながら社会人大学院に通っていた私には、他の人々よりもずっと効率的に働く必要がありました。だから、「できる先輩」の仕事を真似し、自分でもあれこれと工夫を続けました。元からの職人気質とも相性が良かったのでしょう、私はどんどんExcelを使った作業を覚えていきました。入社して2年が経つ頃には、会社が世界中で使うことになる財務モデルのテンプレートを作るようになっていました。その仕事を一緒にしていたニューヨーク本社のチームメンバーから「TJ（私のあだ名）はExcelニンジャだ」と呼ばれたりもしたものです。

　自分自身で工夫を続けながら作り上げたExcelのノウハウを、私はモルガン・スタンレーにいた頃から、職場やそれ以外の場で人に教えてきました。本書は、そういった講座を通じて私が教えてきたことを本にしたものです（世の中には、自分の所属していた会社に存在していたフレームワークをそのまま流用している本が散見されますが、会社の名前で本を書く場合は別として、これは職業人倫理に悖るものだと思います）。

　本書を通じて、みなさんの仕事のスピードと質が向上し、それがひいては企業の成長と、より多くの人の幸せにつながりますように。

慎 泰俊

目次

はじめに ……… 1

第1部 基礎編 ……… 11

第1章 見やすいExcelの表を作る ……… 13

Introduction	イントロダクション	……… 14
Point 1	「見やすい」表の原則	……… 17
Point 2	並び順のルール	……… 20
Point 3	フォントのルール	……… 24
Point 4	表記のルール	……… 27
Point 5	配色のルール	……… 28
Point 6	罫線のルール	……… 30
Point 7	項目のルール	……… 34
Point 8	タイトルのルール	……… 36
Point 9	原理原則に忠実に、かつ、状況に応じて作成する	……… 38
Column 1	「論理の流れを上から下に」の補足	……… 22

Column 2	表の作り方・デザインにこだわる 外資系プロフェッショナル ……… 33
Column 3	外部にファイルを送る前のお作法 ……… 42

第2章 Excelの作業スピードを3倍にする ……… 45

Introduction	イントロダクション ……… 46
Point 1	Excelの作業を速くする3つの方法 ……… 49
Point 2	CtrlキーやShiftキー等を用いたショートカット ……… 51
Point 3	Altキーを用いたショートカット ……… 58
Point 4	検索・置換・コピペを使った応用ワザ ……… 65
Point 5	経営企画や財務関係の仕事で役立つ関数20選 ……… 76
Point 6	問題の答え合わせ ……… 81

Column 4	Mac版Excelに標準登録されていない ショートカットの対応方法 ……… 63

第2部 モデル編 ……… 83

第3章 初級者のためのモデル作成入門 ……… 85

- Introduction　イントロダクション ……… 86
- Point 1　モデルと財務モデル ……… 87
- Point 2　絶対参照と相対参照の違いをキチンと理解する ……… 93
- Point 3　簡単なモデルを組んでみよう ……… 99

第4章 本格的に財務モデルを組む ……… 107

- Introduction　イントロダクション ……… 108
- Point 1　財務モデル作成の3ステップ ……… 111
- Point 2　STEP① 実績値を値と式に分け整合性を確認する ……… 117
- Point 3　STEP② 実績値からKPIを求め、経営分析をする ……… 125
- Point 4　STEP③ 将来財務諸表を作成する ……… 131
- Point 5　財務モデルがきちんと作動するか確認する ……… 144

- Column 5　モデル作業に疲れたときには気晴らしを ……… 130

第5章　財務モデルを使った分析 ……… 151

- Introduction　イントロダクション ……… 152
- Point 1　シナリオ分析 ……… 153
- Point 2　感度分析 ……… 157
- Point 3　感度分析の便利なテクニック ……… 161
- Point 4　感度分析を用いてアクションプランを練る ……… 166

第6章　モデル上級者になるためのヒント ……… 169

- Introduction　イントロダクション ……… 170
- Point 1　良いモデルを作るための5つのポイント ……… 172
- Point 2　モデル作成時の三大トラブル対策 ……… 176

おわりに ……… 185

巻末付録 ……… 187

・本書では基本的に、著者が使用しているMacのExcel操作画像（Office2011）をキャプチャして掲載しておりますが、解説は主にWindowsユーザー向けに執筆し、Macユーザー向けの注釈を補記しております。
・本書に記載されている会社名および商品名は、各社の商標または登録商標です。

EXCEL FINANCIAL MODELING FOR
INVESTMENT PROFESSIONALS

第1部

基礎編

第1章

見やすい
Excelの表を作る

Excelに限らず他のすべてのことでもそうですが、「中身が良ければ見た目はどうでもいい」と思っている人が少なくありません。会議で出されるExcelの表の多くも、あまり見た目を気にして作られていないようです。
しかし、それは正しくありません。情報があふれている現代において、私達は日々大量の情報に接しています。そして、あなたが資料を見せる相手の多くは、あなたよりも多くの資料に目を通している人々です。そういう人々にきちんと物事を伝えるのであれば、見やすい表を作るべきでしょう。

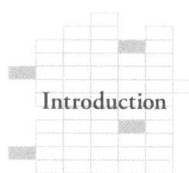# イントロダクション

　私はこれまで多くの日本企業の人々と仕事をしてきました。経営企画や財務の方との仕事が多いこともあり、資料の多くはExcelでやりとりされていました。そういった資料のやりとりをしながらよく感じるのが、「表が非常に見にくい」ということです。言葉を選ばずにいうと、訓練を受けてきた人々の目からすると、Excelで作る資料がとてもお粗末だということです。具体的には、表に並べる項目の順番、罫線の使い方、色の使い方など、1つひとつに問題があることが多く、全体として「とても見にくい」表になっているのです。

　外資系投資銀行などでは、ブートキャンプ式に表の作り方の特訓を受けます。すなわち、何かまずい資料を作ってしまったらその場でやり直しを命じられ、その日はきちんとしたものができるまで帰れない、ということになるのです。その当時はとても苦しかったのですが、その時に受けたトレーニングのお陰で、私自身もどこに行っても問題のない資料を作ることができるようになりました。

　この章では、私が仕事で断片的に教わってきたことを体系的にまとめました。Excelでの資料作成の「お作法」を参考にして頂ければ幸いです。

　では本題に入りましょう。まず腕試しに、次の問題を考えてみてください。解答例は16ページにあります。

問題1
次の表を、可能な限り見やすいものに変えてみてください。

Income Statement						
(百万円)	Mar-16	Mar-15	Mar-14	Mar-13	Mar-12
売上高	2,410	2,349	2,757	3,177	2,519
営業利益	1,654	1,605	1,921	2,050	1,315
売上原価・販管費	(757)	(744)	(836)	(1,127)	(1,204)
税引前当期純利益	1,606	1,559	1,866	1,990	1,271
営業外・特別損益	(48)	(46)	(55)	(61)	(44)
当期純利益	964	935	1,120	1,194	763
法人税等	(642.40)	(623.46)	(746.54)	(795.93)	(508.40)

問題2
次の表はある飲食チェーン各社の成績を比較したものです。この表は、どのようにしたらもっと見やすくなるでしょうか。

各社比較（2012年末時点）	財務数値	財務数値	財務数値	KPI	KPI	KPI
	売上（百万円）	営業利益（百万円）	純利益（百万円）	席数	回転数	客単価
A社	30	5	2	24400	3	400
B社	200	20	5	136600	3	450
C社	40	2	1	30800	4	350
D社	80	40	20	64100	2	500

問題1の解答例（あくまで一例です）

Income Statement
単位：百万円

	Mar-12	Mar-13	Mar-14	Mar-15	Mar-16
売上高	2,519	3,177	2,757	2,349	2,410
売上原価・販管費	(1,204)	(1,127)	(836)	(744)	(757)
営業利益	1,315	2,050	1,921	1,605	1,654
営業外・特別損益	(44)	(61)	(55)	(46)	(48)
税引前当期純利益	1,271	1,990	1,866	1,559	1,606
法人税等	(508)	(796)	(747)	(623)	(642)
当期純利益	763	1,194	1,120	935	964

問題2の解答例（詳しくは40ページ参照）

レストランの競合各社の比較
2012年末時点

	A社	B社	C社	D社
KPI				
席数	24,400	136,600	30,800	64,100
回転数	3.1	3.3	3.7	2.5
客単価	400	450	350	500
財務数値（百万円）				
売上	30	200	40	80
営業利益	5	20	2	40
マージン	16.7%	10.0%	5.0%	50.0%
当期純利益	2	5	1	20
マージン	6.7%	2.5%	2.5%	25.0%

　解答例もしくはそれ以上に見やすい表を作れる人には、この章を読んでいただく必要はほとんどありません。逆に、ここまで作るのが難しいと思った人は、この章をはじめから丁寧に読んでいただければと思います。

Point 1 「見やすい」表の原則

▍ 優れた表は説明を必要としない

　まず、見やすい表とは何か、ということについてお話ししておきましょう。

　「見やすい表」とは、一言でいえば、「どうやって見ればよいのか説明を必要としない表」のことです。すなわち、言葉での説明を必要とせず、一目見ればその表が何を意味するのかがわかる表こそが、見やすい表なのです。専門用語を使っていえば、見やすい表とは、その表の見方についてのアフォーダンスを備えているものということに尽きます。

　アフォーダンスは、認知心理学の用語です。これはデザインにおいて非常に重要なコンセプトなので、少し説明しておきましょう。

　本来、アフォーダンスとは環境が動物に与える意味のことです。そこから転じて、モノが人に対して与える「こう使えそうだ」「こう見れば良さそうだ」というメッセージのことをアフォーダンスといいます。

　大抵の日常雑貨は、非常に高いレベルのアフォーダンスを備えています。たとえば、コップの形を見れば、私たちはそれが何かを飲むために使うものだということを感じ取ることができますし、椅子を見ればそこに腰をかけるものだと感じ取ることができます。

　電子機器の中で特に高いアフォーダンスを備えているものといえば、iPadやiPhoneなどのアップル社の製品でしょう。アフォーダンスを備えている製品は、説明書を必要としません。実際に、私はよく足を運ぶ途上国で、現地の子どもとiPhoneを使って遊ぶことがありますが、子どもたちは初めて見るiPhoneを簡単に使いこなすことができます。

■ Excelの表も見た目が重要

　見た目のことについてお話をすると「表の見た目がなぜ重要なのか、中身があれば良いのではないか」という意見がなされることがあります。この意見の背景には、「いいものであれば、見た目がどういうものであっても人は見てくれる」という考え方があるのかもしれません。

　しかし、こういう考え方はおそらく間違っています。というのも、表が見やすくなければ、肝心の中身がいかに良くてもうまく伝わらないからです。いくら表に込められたデータが示唆に富むものであっても、表の見た目が良くなければ、データが頭に入りにくくなってしまいます。最悪のケースでは、表の見方がわからず、そもそも何を伝えようとしているのかわからない、といったことすらあるでしょう。

　私が外資系金融機関で働きはじめた頃には、表が見やすくないというだけで、外国人の上司から「ヘイTJ、なんだこの醜い表は。作りなおせ」「お前は本当にセンスがないなぁ」と何度も言われたものでした。

　一度、「別に見た目が悪くても内容が良かったらいいじゃないか。説明すればわかることだ」と口ごたえしたことがあります。その時に返ってきた答えはこうでした。

　「お前なぁ。お前の上司はお前よりはるかに時間が無いんだ。そんな人に解読の時間がかかる資料を作ってどうするんだ。」

　実際、上司たちは配られた資料を説明も聞かずにざっと読んで理解し、「要点は何か」「何をするべきなのか」に会議の時間を割いていました。そのような会議のスタイルが可能なのは、ざっと読んで理解できる資料が作られているからです。より具体的には、見やすさを考慮した上で定型化されたフォーマットがあり、皆が基本的にそれに従う形で資料を作っていたからでした。

　コミュニケーションの質は、伝える内容と伝え方の掛け算で決まります。伝える内容が最高のものであっても、伝え方がまったくダメだったら、それは相手に伝わらないので、無意味なコミュニケーションになってしまいます。そういった状態を避けるためにも、見やすい表を作ることが大切なので

す。

見やすい表を作るための原則

　本章ではここから、具体例をもとに見やすい表作りの７つのルールを紹介していきます。ただし、ここでお伝えするルールはそんなに厳格なものでもないし、絶対というわけでもありません。慣れないうちはこのルールに従っておいたほうが間違いない、という程度に考えてください。慣れてきたら、自分の周りにある見やすい表を参考にして、自分のテンプレートを作っていってもよいでしょう。

　紹介するルールが頭に入りやすいように、まずは大原則をお伝えしておきましょう。たった二つしかありません。

原則１：情報の並べ方が人間の認知の仕組みに従っている。

　たとえば、人はものを左から右に、上から下に見るようにできています。ならば、表の中にものを並べる順序もこれに従うべきでしょう。

原則２：情報が必要最低限である。

　ここでいう情報とは、表に入る数字や項目などの要素だけでなく、文字のサイズ、線や色付けなど、すべてが含まれます。情報が必要最低限であり、不必要な情報（ノイズともいえます）が少ないほど見やすい表になります。

　本章ではこれから、この二つの原則にのっとった、見やすい表を作るための７つのルールについてご紹介していきます。

Point 2 並び順のルール

■ 時間は左から右に流れる

先ほどの問題1をケースとして、1つ目のコツを紹介しましょう。

図表1-1 問題1（再掲）

Income Statement (百万円)		Mar-16	Mar-15	Mar-14	Mar-13	Mar-12
売上高		2,410	2,349	2,757	3,177	2,519
営業利益		1,654	1,605	1,921	2,050	1,315
	売上原価・販管費	(757)	(744)	(836)	(1,127)	(1,204)
税引前当期純利益		1,606	1,559	1,866	1,990	1,271
	営業外・特別損益	(48)	(46)	(55)	(61)	(44)
当期純利益		964	935	1,120	1,194	763
	法人税等	(642.40)	(623.46)	(746.54)	(795.93)	(508.40)

　この表では、時間（Mar-12、Mar-13等）が右から左に流れています。しかし私たちの視線は基本的に左から右、上から下に流れるようにできており、この表は原則1「情報の並べ方が人間の認知の仕組みに従う」に反しています。

　人間の認知の仕組みに従うのなら、時間は左から右に流すのが無難です。たとえば、年代表を見る時なども、ほとんどの年代表は左から右に流れていますよね。[*2] 今のままでは、時間が右から左に流れていますので、列の並び

を変更しましょう。

論理は上から下に流れる

　次に、上から下への流れを見てみましょう。図表1-1では、売上高、営業利益、売上原価・販管費と続いています。論理の流れは、上から下へと流すのが無難なので、この順番も変える必要がありますね。本来の論理の流れとしては、「売上があり、そこから売上原価と販管費を差し引いたら営業利益になる」ということのはずです（図表1-2）。

図表1-2　項目を並べ変えた結果

時間の流れを左から右に

Income Statement （百万円）		Mar-12	Mar-13	Mar-14	Mar-15	Mar-16
売上高		2,519	3,177	2,757	2,349	2,410
	売上原価・販管費	(1,204)	(1,127)	(836)	(744)	(757)
営業利益		1,315	2,050	1,921	1,605	1,654
	営業外・特別損益	(44)	(61)	(55)	(46)	(48)
税引前当期純利益		1,271	1,990	1,866	1,559	1,606
	法人税等	(508.40)	(795.93)	(746.54)	(623.46)	(642.40)
当期純利益		763	1,194	1,120	935	964

論理の流れを上から下に

＊2　なお、左から右を論理、上から下を時間の流れとすることもありえます。特に、数年分の週次データを表示するなど、時間の流れが細かくなると、そうしたほうが見やすいことが多いです。

 Column 1 「論理の流れを上から下に」の補足

　論理が上から下に流れる表というのは、言い方を変えると、「表を上から下に説明していけば何が起こったのかを説明できる表」のことです。これは非常に大切なことですので、もう1つ例を用いて説明させてください。
　次の表は、あるNPOにおいて作成されていた、カンボジアでの式典の収支報告です。

カンボジア現地式典収支（元の表）

収入		支出	
協賛金	887,250	カンボジア現地式典費用	814,797
助成金(X社様より)	195,000	日本からの出張費用	314,747
寄付金(自団体から補填)	49,478	その他経費	2,184
合計	1,131,728	合計	1,131,728

この表を元に受けた説明は、次のようなものでした。

「協賛金と助成金の合計で108万円強の収入がありましたが、現地式典費用、日本からの渡航費その他経費を合わせると5万円弱の赤字になりました。よって、その分を私たち自身で寄付金という形式で補填し、結果収支がトントンになるようにしました。」

　表を眺めながら電卓片手に説明を聞けば、確かに何があったのか

は理解できるものの、これをより直観的にわかりやすい表にするにはどうすれば良いでしょうか。たとえば、次のようにしてみてはどうでしょうか。

カンボジア現地式典収支（修正案）	
項目	金額
協賛金	887,250
助成金(X社様より)	195,000
収入計	**1,082,250**
カンボジア現地式典費用	(814,797)
日本からの出張費用	(314,747)
その他経費	(2,184)
支出計	**(1,131,728)**
収支（補填前）	(49,478)
寄付金(自団体から補填)	49,478
収支（補填後）	**0**

資料を元に行う説明

「協賛金とX社様からの助成金により、収入は合計で108万円強になりました。」

「しかし、現地式典費用、日本からの出張費用、その他経費が113万円かかり、収支が赤字となっています。」

「そこで、自団体から5万円弱を補填し、収支が等しくなるようにしました。」

　これであれば、最初に収入が108万円強あり、支出がそれを上回ったため本来は赤字であるものの、自団体からの補填により収支がトントンになったことが上から下に流れるように説明できるようになります。

　表における項目をどのように並べるべきかについて迷ったときには、「作った表をどのように説明するのか」を考えながら項目を並べるようにしましょう。

第1章｜見やすいExcelの表を作る　023

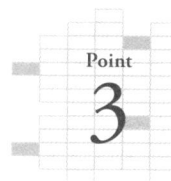# フォントのルール

■ 日本語はMSPゴシック、英語はArial

　次にフォント（書体）です。なぜか日本の会社のExcelでは、英数字についてもMSPゴシックなどの日本語フォントを用いているところが多いのですが、MSPゴシックは本来日本語を書くために生まれたフォントで、英数字についてはあまり神経を割かれていないのか、決して美しいフォントにはなっていないという意見が大勢を占めています。米国人の上司に日本語のゴシックフォントで作った英文資料を送ったら、「なんだこの醜いフォントは」と怒られたことがありました。

　フォントの好みはその人次第ということもありますが、それでも人類は歴史を通じて読みやすいフォント、TPOに合うフォントを作りだしてきました。原則1である「人間の認知の仕組みに従う」にそった無難なフォントの選択としては、下記のようにすればよいでしょう。これらは、ほとんどのPCにインストールされているので（Windowsでヒラギノ角ゴを見る場合を除き）、文字化けの心配もありません。

通常の場合
・日本語はMSPゴシック（Macであればヒラギノ角ゴでもよい）
・英語であればArial

非常にフォーマルな文書の場合
・日本語はMSP明朝
・英数字はTimes New Roman

図表1-3 ハズレのないフォントに変更

Income Statement						
(百万円)		Mar-12	Mar-13	Mar-14	Mar-15	Mar-16
売上高		2,519	3,177	2,757	2,349	2,410
	売上原価・販管費	(1,204)	(1,127)	(836)	(744)	(757)
営業利益		1,315	2,050	1,921	1,605	1,654
	営業外・特別損益	(44)	(61)	(55)	(46)	(48)
税引前当期純利益		1,271	1,990	1,866	1,559	1,606
	法人税等	(508.40)	(795.93)	(746.54)	(623.46)	(642.40)
当期純利益		763	1,194	1,120	935	964

■ 非常にフォーマルな文書で選ぶべきフォント

　フォントについて補足しておきましょう。MSP明朝やTimes New Romanといったハネのあるフォント（セリフ体）を使うと、その資料はかなりフォーマルで格式張った印象を与えます。またこのフォントは、長くまとまった文章が読みやすいようにできています。だから、世の中にあるほとんどの本はセリフ体で書かれています。

　これに対して、MSPゴシックやArialなどはサンセリフ体というハネがないフォントです。このフォントはどちらかというと親しみやすい印象を与えますし、短めの文章を読むには適しています。なので、ウェブでは大抵の文章はサンセリフ体ですね。

　試しにセリフ体の表とサンセリフ体の表を並べてみましょう（図表1-4）。まったく同じ項目を並べているのに、だいぶ印象が違って見えると思います。私たちの認知の仕組みがそうなっているのです。よほどフォーマルな場合であれば別ですが、それ以外の場合であればMSPゴシックとArialを使っておけば間違いないでしょう。

　フォント選択は非常に奥が深い世界です。他にも素晴らしいフォントはたくさんありますが、ここでは、初めてのネクタイに紺無地をオススメするのと同じように、「まず間違いのないもの」をお伝えしている次第です。

図表1-4　セリフ体とサンセリフ体の比較

MSPゴシック & Arial

	2012	2013
	実績	予測
売上高	2,613,877	3,264,558
売上原価	773,422	799,832
売上総利益	1,840,455	2,464,725
Margin	70.4%	75.5%
販管費	185,996	236,633
営業利益	1,654,459	2,228,092
Margin	63.3%	68.3%

MSP明朝 & Times New Roman

	2012	2013
	実績	予測
売上高	2,613,877	3,264,558
売上原価	773,422	799,832
売上総利益	1,840,455	2,464,725
Margin	70.4%	75.5%
販管費	185,996	236,633
営業利益	1,654,459	2,228,093
Margin	63.3%	68.3%

■ サイズを10ポイントにする理由

　次は文字のサイズや表記に注目してみましょう。まず、フォントの大きさがバラバラであることに気付きます。これは「情報は必要最低限である」という原則2に反しています。文字の大きさそのものもそうですし、サイズの統一というものも情報だという観点に立つと、フォントの大きさがバラバラな表は読み手に不必要な解読を迫るものになりかねません。なので、特段の理由がない限り、フォントサイズは統一したほうが良いでしょう。

　Excelで表を作るときのフォントサイズは10ポイントが良いです。何ポイントであっても印刷サイズや画面サイズを変えれば同じことですが、10ポイントだと、他のフォントサイズとの比較をしやすいという利点があります。たとえば、14ポイントのフォントを使えば、それが10ポイントの4割増であるとすぐわかります。

　フォントの種類やサイズのデフォルト設定は、Excelのオプション（「ファイル」→「オプション」で選べます）から変更することが可能です。

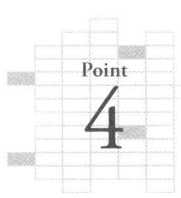

Point 4　表記のルール

■ 行と列の幅、桁を統一する

　問題1の表では、法人税の箇所だけ表記が小数点2位まで表示されています。こういった表記のズレも不必要な情報を与えますので、修正してあげましょう。

　また行と列に着目すると、この表では幅が統一されていません。それゆえに、読む人にストレスがかかる表になっています。幅のサイズひとつであっても意味を持ち、まばらな幅は読み手に不要な情報を与えることになりますので、基本的に行と列の幅はすべて等しくなるように統一します。ただし、項目名が掲載されている列については、その項目名がきちんと掲載されるようスペースを空けましょう。

図表1-5　表記の統一実施後

Income Statement		Mar-12	Mar-13	Mar-14	Mar-15	Mar-16
(百万円)						
売上高		2,519	3,177	2,757	2,349	2,410
	売上原価・販管費	(1,204)	(1,127)	(836)	(744)	(757)
営業利益		1,315	2,050	1,921	1,605	1,654
	営業外・特別損益	(44)	(61)	(55)	(46)	(48)
税引前当期純利益		1,271	1,990	1,866	1,559	1,606
	法人税等	(508)	(796)	(747)	(623)	(642)
当期純利益		763	1,194	1,120	935	964

フォントのサイズを統一

行の幅を統一

列の幅を統一

Point 5 配色のルール

■ 色は多くとも2色まで

　作成者が「強調したい」と思うあまり色を多用しすぎて、熱帯地方に出てくる毒を持った生き物のような柄の表に出くわすこともしばしばあります。

　色の使い過ぎは、原則2で禁じている情報過多に通じるものです。また、いくつかの色は、それを見る人にストレスを与えるものです。特に赤や黄は「警告色」「警戒色」（warning coloration）と呼ばれ、人類がこれまでの経験を通じて「危険」と結びつけて考えてきた色です（だから信号は青・黄・赤になっています）。それゆえに、ショッキングな色は、読む人に不要なストレスをかけることにつながります。それに、人間の目はもともとちょっとした違いも見つけられるようにできているので、Excelの表でわざわざ激しい色を多用する必要はありません。

　色は、どうしても必要なときだけ薄い色を使います。それも2色までにしましょう。たとえば、淡い水色、とても薄い緑、薄ピンクなどを使ってみましょう。

■ 印刷範囲のシートを白塗りにしておくか、枠線を非表示にする

　色に関してもう1つ。印刷範囲のシートは背景を白塗りにするとよいです。セルを白塗りすることで印刷結果がどうなるのかわかりやすくなるからです。

　図表1-6を見てください。Excelのデフォルト設定では、シートの背景が無地のままだとセルの区切りが表示されますが、白塗りにするとその表示

がなくなります。どちらも印刷した場合にはセルの区切りは表示されません。

　背景が無地のままだと、実際にどの罫線が印刷したときに見えるようになるのかがわかりにくいという問題があります。表や資料の多くは印刷して用いることが多いので、印刷イメージをしやすいという観点から背景を白塗りしておくわけです。

図表1-6　背景が無地と白塗りの表の見た目

背景が無地の場合の見え方　　背景が白塗りの場合の見え方

無地	無地
無地	無地
無地	無地
無地	無地
無地	無地

白塗り	白塗り
白塗り	白塗り
白塗り	白塗り
白塗り	白塗り
白塗り	白塗り

　なお、同じことは、Excelのオプションの詳細設定で「枠線を表示する」のチェックマークを外すことでも可能です。オプションで枠線を非表示にすると、背景を白塗りにする場合に比べ、Excelに対する負荷が軽くなるという利点もあります。

図表1-7　配色を修正した表

Income Statement　　全体の色を無地または白に

(百万円)		Mar-12	Mar-13	Mar-14	Mar-15	Mar-16
売上高		2,519	3,177	2,757	2,349	2,410
	売上原価・販管費	(1,204)	(1,127)	(836)	(744)	(757)
営業利益		1,315	2,050	1,921	1,605	1,654
	営業外・特別損益	(44)	(61)	(55)	(46)	(48)
税引前当期純利益		1,271	1,990	1,866	1,559	1,606
	法人税等	(508)	(796)	(747)	(623)	(642)
当期純利益		763	1,194	1,120	935	964

ハイライトは淡い色一色に

Point 6 罫線のルール

■ 縦罫の代わりに右揃え、左揃えを使う

　図表1−7を見て「おや、でもこれじゃかえって見にくくなったぞ？」と思った人がいるかもしれません。確かにそうなのですが、それはなぜでしょう。答えは罫線にあります。縦線が左から右に流れる視線の邪魔をしているのです。縦の罫線は多くの場合、原則2「情報が必要最低限である」ことに反していますので、無くしたほうがよいでしょう。

　なぜ縦の罫線は無くしたほうがいいのか。それは、数字や表の項目を左揃えもしくは右揃えにすれば、それが縦線と同じ役割を果たしてくれるからです。図表1−8の表であれば2012実績と2013予測の列にある数字をすべて右揃えにして、それ以外の「営業収益」「売上原価」などのタイトル項目を左揃えにすれば、各文字のシルエットそのものが縦線と同じ役割を果たしてくれます。

図表1-8　左揃え、右揃えのシルエットが縦罫の代わりになる

中央揃えでは縦線がイメージしにくい

	2012 実績	2013 予測
営業収益	2,613,877	3,264,558
売上原価	773,422	799,832
粗利益	1,840,455	2,464,725
Margin	70.4%	75.5%

左端の項目を左揃え、それ以外を右揃えにすることで、文字のシルエットが縦線代わりになる

	2012 実績	2013 予測
営業収益	2,613,877	3,264,558
売上原価	773,422	799,832
粗利益	1,840,455	2,464,725
Margin	70.4%	75.5%

一方で、横線は視覚の補助線として必要な場合が多いです。というのも、多くの表では、行の高さは詰められているため、横線がないと、行をイメージしにくくなるためです。

線は最も細いものと、普通の細さのものを使う

罫線を使う場合、どの線を使うべきかについても述べておきましょう。まず、太い線はよほどの場合を除き使用しません。というのも、太い線そのものが、何らかの強調メッセージを含んでしまうからです。

多用するのは線のリストの左上にある細かい破線（図表1-9参照）にしましょう。これは印刷すると非常に細い線として表示されます。なお、この線は、薄いグレーの普通の太さの線（線のリストの左下）で代替することも可能です。そして、必要に応じて普通の太さの線を使います。この線は、表の枠となる箇所に使用すると見た目がスマートになります。

図表1-9　罫線を選ぶ

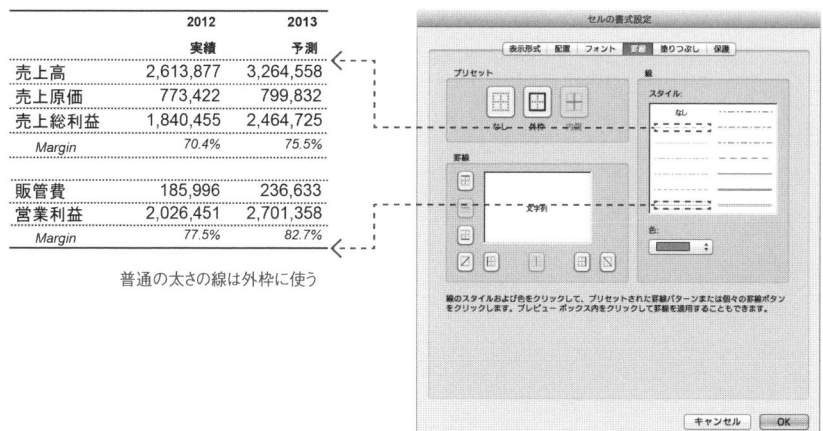

図表1-10　罫線を修正した表

Income Statement

(百万円)	Mar-12	Mar-13	Mar-14	Mar-15	Mar-16
売上高	2,519	3,177	2,757	2,349	2,410
売上原価・販管費	(1,204)	(1,127)	(836)	(744)	(757)
営業利益	1,315	2,050	1,921	1,605	1,654
営業外・特別損益	(44)	(61)	(55)	(46)	(48)
税引前当期純利益	1,271	1,990	1,866	1,559	1,606
法人税等	(508)	(796)	(747)	(623)	(642)
当期純利益	763	1,194	1,120	935	964

外枠は
普通の太さの線

内枠は細かい破線
もしくは薄いグレーの
普通の太さの線

Column 2 表の作り方・デザインにこだわる外資系プロフェッショナル

「資料を見てもらうこと」が仕事の重要な一部を占める外資系投資銀行やコンサルティングファームなどでは、表の作り方のデザインが定型化されていることがほとんどです。これらの企業の資料のテンプレートは、高級ブランドのデザインを手がけるようなデザイナーに依頼されて作られることもあります。たとえば、線の細さは0.25ポイント、表のタイトルの文字のサイズは12ポイント、色はRGB（赤、緑、青の三原色の配色バランスのこと）ではR：0、G：0、B：255といったように定型化されているのです。重要なプレゼンテーション資料は社内の資料レビューチームに送られ、会社の資料デザインのルールに従っているかがチェックされます。この過程を経て、ようやく顧客に資料を見せることが許されます。

なぜここまで資料のデザインにこだわるのでしょうか。それは、このような細かいことにも気を遣うことで、考えぬいて作ったメッセージそのものを的確に、効果的に伝えるためです。どんなに良いアイデアであっても、その伝え方がわかりやすくなければ、そのアイデアの価値は半減してしまいます。投資銀行やコンサルティングファームにとってはアイデアが商品であり、メーカーが製品のデザインにこだわるのと同じように、資料の見た目にこだわるわけですね。

Point 7 項目のルール

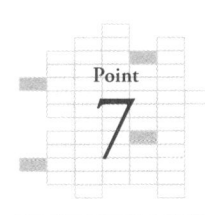

■ 項目は1つの列にまとめる

図表1-10のままでは、項目が3列にまたがっていて間延びした印象を与えています。項目はすべて同じ列に含めましょう。もし小項目として示したいようなものがあるなら、スペースでなくインデントを使いましょう。大抵の人は、インデントひとつが入っているだけでそれが何らかの大項目の内訳であることを理解することができます。

インデントは、「セルの書式設定」ダイアログで、「配置」を選び、「文字の配置（横位置）」から「左詰め（インデント）」「右詰め（インデント）」などを選ぶことで設定できるようになります（図表1-11）。Windowsでは

図表1-11 インデントの設定画面

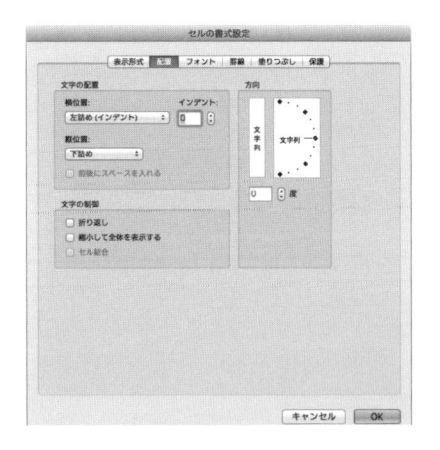

Alt → h → 5か6で、Macであればcontrol & Mを用いれば、このようなダイアログを開かなくても設定が可能です（ショートカットについては第2章で詳しく紹介します）。

　項目を同じ列に揃え、スペースでなくインデントを使う理由がわからないという人がいるかもしれません。なぜこのようなことをするのかというと、SUMIF関数など、列の検索等を組み合わせた関数を使ってデータを集計しようとするときに、項目がすべて同じ列に揃っていない、もしくはインデントの代わりにスペースを使っていたりすると式がうまく機能しないことがあるからです。また、「Ctrl & 矢印」のショートカットなどを使ってセルを移動するときにも不便になります。

■ セルは結合させない

　同様の理由で、「セルの結合」も行いません。カーソルを移動させながら表を操作するときに不便だからです。複数セルにまたがって真ん中に表示させたい場合には、「セルの書式設定」ダイアログで「文字の配置（横位置）」から、「選択範囲内で中央」を選びましょう。

図表1-12 項目をすべて1つの列に並べた表

Income Statement					
(百万円)	Mar-12	Mar-13	Mar-14	Mar-15	Mar-16
売上高	2,519	3,177	2,757	2,349	2,410
売上原価・販管費	(1,204)	(1,127)	(836)	(744)	(757)
営業利益	1,315	2,050	1,921	1,605	1,654
営業外・特別損益	(44)	(61)	(55)	(46)	(48)
税引前当期純利益	1,271	1,990	1,866	1,559	1,606
法人税等	(508)	(796)	(747)	(623)	(642)
当期純利益	763	1,194	1,120	935	964

項目を1つの列に揃え、インデントをつける

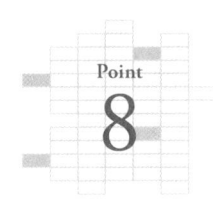

Point 8 タイトルのルール

最後のルールは好みの問題もありますが、初めての方は従ってみてください。

■ メインタイトルは2割大きくする

表のタイトルには2割大きな太字を使いましょう。また色も黒ではなく、かつ落ち着いた色を使います。たとえば、深い緑や青を選ぶと良いでしょう。

■ 行に並べる項目は2割小さい太字で

行のタイトル項目（ここでいうと Mar-12 などです）は2割小さい文字サイズにして、太字にしてあげると、全体の見た目がシャープになります。

表の中身と同化してしまわないように文字サイズを変更しているわけですが、行のタイトルを大きくすると間延びした印象を与えてしまうし、タイトルの文字サイズとも同じになってしまうので、小さくしています。ただし、小さいままだとタイトルの存在感が弱くなるので太字にするわけです。

列のタイトル項目にはこういった修正は不要です。というのも、元のままでも列のタイトル項目は、(1) 文字であり数値ではない、(2) 左揃えであり右揃えではない、という理由で表中の数値と同化しないためです。

■ 単位の表記も2割小さく

単位の表記などは表から少し離し、2割小さい文字サイズ・太字とします。文字サイズを小さくするのは先に述べたのと同じ理由によります。

これらを修正すると、図表1−13のようになります。

図表1-13 タイトルや単位のフォントを変更

タイトルは2割拡大&太字&落ち着いた色。単位は2割縮小&太字

Income Statement 単位：百万円	Mar-12	Mar-13	Mar-14	Mar-15	Mar-16
売上高	2,519	3,177	2,757	2,349	2,410
売上原価・販管費	(1,204)	(1,127)	(836)	(744)	(757)
営業利益	1,315	2,050	1,921	1,605	1,654
営業外・特別損益	(44)	(61)	(55)	(46)	(48)
税引前当期純利益	1,271	1,990	1,866	1,559	1,606
法人税等	(508)	(796)	(747)	(623)	(642)
当期純利益	763	1,194	1,120	935	964

項目は2割縮小&太字

Point 9 原理原則に忠実に、かつ、状況に応じて作成する

さて、ここまで紹介したコツを反映させたものと、以前のものを比較してみましょう。だいぶ見やすくなったのではないでしょうか。

図表1-14 問題1の解答例

Before

Income Statement						
(百万円)		Mar-16	Mar-15	Mar-14	Mar-13	Mar-12
売上高		2,410	2,349	2,757	3,177	2,519
営業利益		1,654	1,605	1,921	2,050	1,315
	売上原価・販管費	(757)	(744)	(836)	(1,127)	(1,204)
税引前当期純利益		1,606	1,559	1,866	1,990	1,271
	営業外・特別損益	(48)	(46)	(55)	(61)	(44)
当期純利益		964	935	1,120	1,194	763
	法人税等	(642.40)	(623.46)	(746.54)	(795.93)	(508.40)

After

Income Statement

単位：百万円

	Mar-12	Mar-13	Mar-14	Mar-15	Mar-16
売上高	2,519	3,177	2,757	2,349	2,410
売上原価・販管費	(1,204)	(1,127)	(836)	(744)	(757)
営業利益	1,315	2,050	1,921	1,605	1,654
営業外・特別損益	(44)	(61)	(55)	(46)	(48)
税引前当期純利益	1,271	1,990	1,866	1,559	1,606
法人税等	(508)	(796)	(747)	(623)	(642)
当期純利益	763	1,194	1,120	935	964

ここまでご紹介してきたポイントは、章末にまとめておきますので、後で読みなおして頂ければ幸いです。

■ 問題2の解答例

　ここまで、2つの原則をベースに7つのルールを紹介してきましたが、ちょっと練習してみましょう。こちらは15ページに登場した問題2の表です。

図表1-15　問題2（再掲）

各社比較（2012年末時点）	財務数値	財務数値	財務数値	KPI	KPI	KPI
	売上（百万円）	営業利益（百万円）	純利益（百万円）	席数	回転数	客単価
A社	30	5	2	24400	3	400
B社	200	20	5	136600	3	450
C社	40	2	1	30800	4	350
D社	80	40	20	64100	2	500

　今までに紹介した7つのルールだけを用いると、答えは次のようになるでしょう。

図表1-16　問題2の解答例①

各社比較
2012年末時点

	財務数値（百万円）			KPI		
	売上	営業利益	純利益	席数	回転数	客単価
A社	30	5	2	24,400	3	400
B社	200	20	5	136,600	3	450
C社	40	2	1	30,800	4	350
D社	80	40	20	64,100	2	500

これに対して、私ならこのようにまとめます（あくまで例です）。

図表1-17　問題2の解答例②（再掲）

レストランの競合各社の比較
2012年末時点

	A社	B社	C社	D社
KPI				
席数	24,400	136,600	30,800	64,100
回転数	3.1	3.3	3.7	2.5
客単価	400	450	350	500
財務数値（百万円）				
売上	30	200	40	80
営業利益	5	20	2	40
マージン	16.7%	10.0%	5.0%	50.0%
当期純利益	2	5	1	20
マージン	6.7%	2.5%	2.5%	25.0%

　原則1である「情報の並べ方が人間の認知の仕組みに従っている」ことと原則2である「情報が必要最低限である」ことを元に次のような変更を加えました。

・行と列を入れ替える。なぜなら、「横比較」という言葉もあるように、横に並んでいたほうが人間はものを比較しやすいため。
・論理が上から下に流れるように、KPIを上に移動。なぜなら、席数・回転数・客単価といったビジネス上の数値が元にあり、その結果として財務数値が決まるものであるため。
・タイトルも、一目見て何をしているかわかりやすいものに変更。
・売上は規模感の比較だけをすればよいが、利益についてはマージン（利益率）の比較も行う人が多いので、マージンの情報を追加。
・回転数については、元の数字だと丸まりすぎていて比較にならないので、小数点以下まで表示。
・KPIと財務数値という言葉が頻出しているため、1回だけ表示されるように変更。

◾ 相手のTPOに対する配慮が、より良い表を作る

このように、見やすい表を作るために大切なことは、単にルールを機械的に覚えるだけでなく、折にふれ原理原則に立ち返り、微修正していくことにあります。

また、原則としては取り上げませんでしたが、見やすい表を作るために必要な心構えは、「相手がどのような目的でこの表を見るのか」に対する配慮です。今回の例では、利益率の情報を追加することなどがそれにあたります。2つの原則と、この心構えを忘れないでおけば、あなたの作るExcel資料は日々より良いものになっていくでしょう。

◾ 目にした見やすい表をマネする

なお、見やすいExcelの表を作るための訓練として一番良い方法は、世の中の色々な表を見て、見やすいと思ったものがあったら、それをマネすることです。印刷したものをスクラップノートに貼りつけておいても良いかもしれません。そのときに、単にマネをするだけでなくて、それらの表がなぜ見やすいのかを言語化しながら学ぶと良いでしょう。

Column 3 外部にファイルを送る前のお作法

Excelなどのファイルを外部に送信するときの「お作法」をまとめておきましょう。わかっていても時々ミスしてしまうことがありますので、コピーしてデスクに貼っておくと良いでしょう。

●やっておかないとできなかった時のリスクが大きいもの

①ファイルのプロパティを開き、作成者の名前を確認する。特に、他のプロジェクトで使ったExcelファイルを転用して作業するときなどは要注意。これが書かれているために、誰が資料を作っていたのかがわかってしまうケースもある（たとえば、M&Aなどの際に会社から出てくるプレスリリースには、作成者として弁護士事務所の名前が残っている場合などがある）。

②外部に出すファイルにはパスワードをかける。パスワードは、ファイルを添付したメールには書かず、その次のメールで相手に伝える。そうすることで、誤送信したときにファイルが開かれるリスクを下げられるため。なお、パスワードの設定方法は、「ファイル」→「情報」→「ブックの保護」→「パスワードを使用して暗号化」（Macの場合は、環境設定→セキュリティで設定）。

●できていないと「なってないなあ」と思われるもの

①外部に Excel ファイルを提出するときには、すべてのシートについてカーソルをセル A1（すなわちシートの左上）に合わせて保存すること。直近までどこで作業していたのかが知られないようになるだけでなく、表はたいてい A1 近辺から始まるので、見やすいという利点もあるため。

②ファイルを開いて印刷ボタンを押せば問題なく印刷できるよう、改ページを調整しておく。

③ホチキスどめが想定される資料を送る際には、ホチキスができるだけの余白を用意しておく（余白は「ページレイアウト」の「ページ設定」から変更可能）。

④印刷がきちんとされるか確認する。セルの幅がギリギリで狭いときには、Excel 上では表示されても、印刷すると「######」と表示されたり、文字が切れたりするため。また、セルに文字がたくさん入っているファイルの場合は、印刷すると常に最後の数文字が表示されない場合があるため（文字の最後にスペースをいくつか打ち込んだり、改行を入れたりすることで解消する）。

第1章のまとめ

- 「見やすい表」とは、「どうやって見ればよいのかについての説明を必要としない表」のこと。見やすい表を作ることで、コミュニケーションの質を上げることができる
- 見やすい表を作るための原則は、「情報の並べ方が人間の認知の仕組みに従っている」ことと「情報が必要最低限である」こと
- 上から下に論理が通り、左から右に時間が流れるように項目を並べる
- 日本語にはMSPゴシック（ヒラギノ角ゴ）、英数字にはArialをデフォルトにする
- 印刷範囲はいったんすべて背景色を白にする、もしくは枠線を非表示にする
- 項目はすべて1つの列に揃え、小項目には必要に応じてインデントを使う
- 文字サイズは基本的に10ポイント
- 数字の表記、行と列のサイズは統一する
- 強調には基本的に同じ色を使い、多く使っても薄い色で2色とする
- 縦の罫線は使わず、タイトル項目は左揃え、それ以外の項目は右揃えにする
- 表の中身に細かい破線（もしくは薄いグレーの線）を、表の枠に普通の太さの線を使う
- メインタイトルは2割拡大＆太字＆落ち着いた色、行の項目は2割縮小＆太字
- 2つの大原則と目的のTPOに対する配慮が表のクオリティを改善させつづける
- 目にした見やすい表のどこが良いのか考えながらマネすることが上達のための訓練になる

第2章

Excelの作業スピードを
3倍にする

　すでにショートカットやExcelの便利な機能、関数を完全にマスターしている人はこの章を読み飛ばしていただいて結構です。とはいえ、私がこれまで教えてきた経験でいうと、Excelを使う仕事に就き、ある程度ショートカットを使っている人の9割には、作業スピードを倍以上にする余地がありました。第2部で紹介する財務モデル作成のように、かなりの時間を費やす作業をスムーズに行うためにはショートカットの習熟が必須ですので、自信のない方はここでマスターしてください。

　なお、ここで紹介する内容は、Excelを用いて財務や経営企画、その他分析の仕事をする人に特化したショートカットを紹介していることにご留意ください。

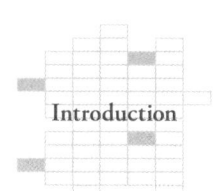

Introduction イントロダクション

　午後6時からの社内会議。そこに参加した役員から、鶴の一声が。
　「お疲れ様。追加で、この作業をしておいてもらえるかな。明日の朝10時の会議で使いたいんだ。よろしくね。」
　早く作業をするための方法についてお話しする第2章は、このようなシチュエーションで途方に暮れた経験がある人のためにあると言っても過言ではないかもしれません。作業スピードを速くする利点はいくつかあります。たとえば、「急な仕事が生じてもすんなりと作業を終えることができる」、「仕事が速くなり、作業の見直しに割ける時間が増えるため、作業のミスが減る」、「空いた時間でさらに様々なことができるようになる」、などです。
　文書作成などに比べて、Excelは作業の速い人とそうでない人の差が開きやすいといえます。それは次のような事情によります。
　文書作成においては、大抵の時間は文章を書くことに費やされますので、作業スピードの差は基本的にタイピングスピードの差です。ほとんどの人がブラインドタッチを基本的にマスターしている近年においては、タイピングスピードで出る差は僅かです（なお、ここでいう作業とは、手を動かす作業のことで、構想することなどは含んでいません）。一方で、Excelでは数字の入力よりも様々な機能を駆使しながら作業をすることが多く、それら機能をどれだけ活用できるか、どれだけ速く使用できるかによって作業スピードに差が生じます。これら機能の習熟の程度は、ブラインドタッチよりはるかにバラついているため、Excelでは作業スピードに格段の差が生じるのです。
　今まで様々な人に教えてきた経験に基づくと、速く作業することに意識を注がないでいた人が、この本に書かれていることを実行すると、その人のExcelの作業スピードは少なくとも3倍にアップすると思います。すなわち、

1時間かけて行っていた作業が20分で済むようになるということです。1日に平均して30分くらいExcelを用いる人であれば、少し時間を費やして、本章に書かれていることを実行する意味はあると思います。

なお、あくまで身のまわりを見ていての経験則ですが、仕事が速い人は日に日に仕事が速くなるというサイクルに入るようです。それは、仕事が速い人にはより多くの仕事が振られ、その仕事をこなすためにまた工夫をして仕事が速くなる、ということが続くためです。なので、特に若手の頃に仕事が速くなることは、将来に大きな差をもたらすことが多いと思います。

ちょっと、簡単なテストをしてみましょう。次の問題に答えてください。

問題1
Excelでの作業を速くするために最も大切なことの一つは、「○○○を使わないこと」といわれています。この○○○はなんでしょうか。

問題2
「セルの書式設定をするダイアログ」（下記）はかなり頻繁に使われます。このダイアログを開くためのショートカットを答えてください。

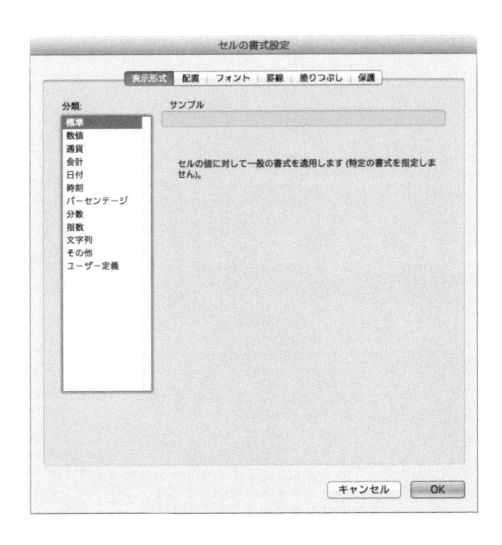

問題3

下記の Before から After のように、「＝」以下の文字を 10 秒以内にすべて消去するにはどうすればよいでしょうか。

Before

当期純利益	＝損益計算書の数値とリンク
減価償却費/のれん償却費	＝同上
運転資本の増減	＝債権(増)減＋債務増(減)
設備投資	＝主要指標の数値とリンク
借入の増減	＝今期の残高－去年の残高
支払配当金	
その他	
現金及び現金同等物の増減	＝上記合計
期末現預金	＝去年残高＋今期変化額
バランスチェック	＝貸借対照表の現預金－計算結果

After

当期純利益
減価償却費/のれん償却費
運転資本の増減
設備投資
借入の増減
支払配当金
その他
現金及び現金同等物の増減
期末現預金
バランスチェック

問題4

コピー＆ペーストでできることを7つ以上挙げてください。

問題5

次のようなチャートを作るために使う関数はなんでしょうか。

男女の収入格差(%)

2008年

韓国	38%	||||||||||||||||||||||||||||||||||||||
日本	33%	||||||||||||||||||||||||||||||||
ドイツ	23%	||||||||||||||||||||||
カナダ	21%	||||||||||||||||||||
イギリス	21%	||||||||||||||||||||
アメリカ	19%	||||||||||||||||||
フランス	12%	||||||||||||

すべてに答えられた人は、この章を読み飛ばして結構です。そうでない方は、じっくりと読み進めてください（解答は 81 ページにあります）。

Point 1 Excelの作業を速くする3つの方法

ショートカット・機能・関数は「習うより慣れろ」

　Excel の作業を速くするための方法は大きく 3 つあり、本章ではこれらについて説明します。

①ショートカットを覚える
②様々な機能を覚える
③関数を使う

　まず、この章で書いている内容をマスターするために最も大切なことを書いておきましょう。それは、「習うより慣れろ」が基本だということです。
　機械を扱う作業すべてに共通することですが、何らかの操作をマスターするために必要なことは、操作を実際に何度もやってみて、体がその操作を条件反射的にできるようにすること以外にありません。車の運転方法の本を読み込むよりも、実際に車を運転することによってその方法を覚えられるのと同じことです。
　この「習うより慣れろ」という鉄則にどれくらい忠実であるかが、Excel 上達の相当部分を左右します。私が会社に入りたての頃には、これと思った Excel のショートカット・機能・関数を付箋に書いておいて、それを PC やデスクに貼っておき、日々の作業でそれを可能な限り多用することにしていました。そして、そのショートカットを身体で覚えたと思えるようになったら、また新しい付箋に違うものを書き足すのです。これを 3 カ月間かけて取り組めば、Excel の作業効率が格段に上がるはずです。

この章には、みなさんの仕事に役立つ機能がいくつかはあるはずなので、それらについては付箋に書いて、実際に使ってみてください。

■ マウスを封印する

投資銀行で、Excelの作業スピードが遅い1年生がよく受ける特訓があります。それは、マウスを取り上げられた状態で、Excelの作業をするというものです。

「マウスを使わなかったら仕事なんてできないじゃないか」、と思う人がいるかもしれませんが、そんなことはありません。財務などにおけるExcel作業の95％はマウス無しで行うことができます（一番大きな例外はグラフの処理）。

どうやって作業するかというと、ショートカットを使うのです。具体的には、マウスで行っていた作業を、キーボードで行うようにすることで、Excelでの作業スピードは劇的に改善します。

もちろん、ショートカットはかなりの数になりますので、すべてを覚える必要はありません。仕事を通じて、1週間に平均して10回使うようなものであれば、その操作のショートカットを覚えたほうがいいでしょう。

ショートカットには大きく2種類あります。1つが、CtrlキーやShiftキーを用いたショートカットです。「CtrlキーとCを押してコピー」などはよく知られていますね。

一方で、さほど知られていないけれど非常に使い勝手のよいショートカットに、Altキーを使ったショートカットがあります。Altキーひとつで、様々な作業をマウスいらずでできるようになります。

ではまず、ショートカットについて、順を追って紹介していきましょう。

Point 2 CtrlキーやShiftキー等を用いたショートカット

■ 表記について

まずは、最も基本的なショートカットである、CtrlキーやShiftキー等を用いたショートカットについてご紹介します。

Ctrl & C でコピー、Ctrl & V で貼り付けなどの基本的なものを除いて、本書の想定読者である方々が仕事でよく使うであろうショートカットを16個、厳選して紹介していきましょう。他にも様々なショートカットがありますので、覚えたい人は、Excelのチュートリアルなどを開いて、どんな操作ができるのか確認してみてください。

ここからは、キーボードの組み合わせを表示しますが、"&"は同時押し、"→"は順に押すことを意味しています。たとえばこういうことです。

図表2-1　操作方法の表記

表記	操作内容
Ctrl & V	Ctrlキーを押しながら、キーボードのVを押す
Alt → E → S	Altキーを押した後に手を離し、キーボードのEを押し、次いでSを押す

この本では、Windows版のExcel用のショートカットをメインとして紹介しつつ、Mac版Excelに関しても可能な限り紹介します。Ctrlキーをコマンドキー（⌘）に代替すれば済むものについては、特に何も書かないことにします。

なお、Macに関し、使用しているPCのバージョンによっては、ここで紹介するショートカットに他のショートカットが割り当てられている場合もあります。その場合は、ショートカットの設定（コラム4参照）を別途行う必要があります。

■ 操作のやり直し、反復に関するショートカット

作業を間違えたときのやり直しや、同じ作業を反復するときに使うショートカットです。マウスを持って「やり直し」をクリックせず、CtrlキーとZを押すことで、作業を戻すことができます。また、すべてのタイトル行の色を青字にする、など、複数箇所に同じような作業を行うときなどには、Ctrl & Y（F4でも同じ操作ができます）が便利です。

図表2-2　やり直し・反復のショートカット

入力キー1		入力キー2	内容
Ctrl	&	Z	やり直し
Ctrl	&	Y	同じ操作を反復(F4でも代替可能)

■ セルの操作に関するショートカット

セルの表示などを変更するとき、マウスでセルを選択して右クリックして「セルの書式設定」を開いていませんか？　同じ操作は、セルにカーソルを合わせてCtrl & 1と押せばできます。

また、セルに入力している数式を変更しようとするとき、数式のエリアにわざわざマウスを持っていってクリックしてから数式を変更する必要もありません。セルを選んでF2を押せば、セルを編集モードにすることができます。

なお、「Ctrl & 1」のショートカットの「1」は、テンキーではなくキーボードにある「1」であることにご注意ください。

図表2-3　セルの書式設定

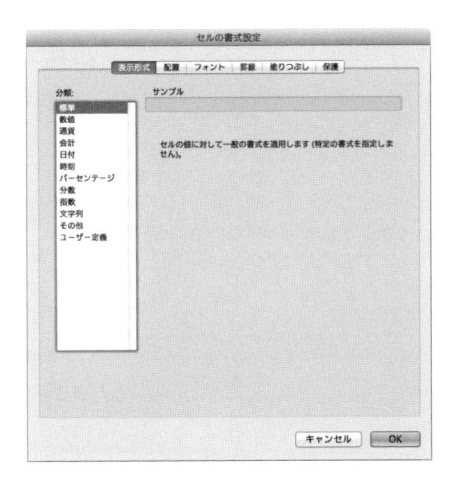

図表2-4　セルの操作に関するショートカット

入力キー1	入力キー2	内容
Ctrl	& 1	セルの書式設定ダイアログを開く
F2		セルの編集モード(Mac版:ctrl & U)

■ シート・アプリケーションの移動に関するショートカット

　Excelで作業をするとき、2つ以上のシート（タブと呼んだりもします）を使うこともよくあります。こういったシートの間を移動したい場合、マウスをクリックせずとも、CtrlとPage-Upの同時押しで右のシートに移動、Page-Downで左のシートに移動することができます。

図表2-5 シート間の移動

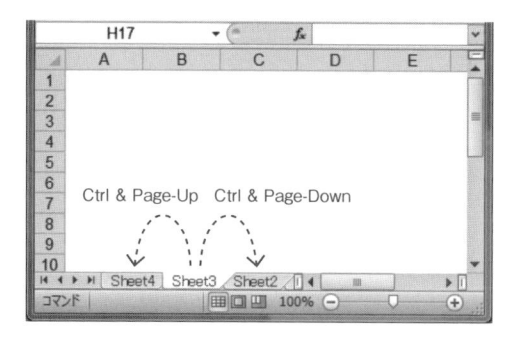

異なる Excel ファイルの間を移動する場合には、Ctrl & Tab を押します（Mac 版でも Ctrl & Tab です）。

また、時には、インターネットのページや、他の PDF ファイルなどを参照しながら Excel で作業することもあるでしょう。そういった時に便利なのが、Alt & Tab です（Mac 版の場合は ⌘ & Tab です）。この2つの同時押しで、異なるアプリケーションの間を移動できるようになります。Alt を押し続けたまま Tab を何度も押すことで、開いているすべてのアプリケーションに移動することが可能です。

しかも、Alt & Tab で一番先に表示されるのは、直前に開いたアプリケーションなので、Alt & Tab で PDF を見て、もう一度 Alt & Tab で Excel に戻り、また Alt & Tab で PDF に戻りというふうに作業を行うことができます。

なお、社内でサボってインターネットサーフィンをしている際にも、背後に気配を感じた瞬間に Alt & Tab を使うことで、仕事をしているフリをすることも可能です（とはいえ、いつもそうしているとさすがにばれますが）。

図表2-6 シート・アプリケーションの移動に関するショートカット

入力キー1		入力キー2	内容
Ctrl	&	Page-Up	右のシートに移動(Mac版:⌘ & fn & ↑)
Ctrl	&	Page-Down	左のシートに移動(Mac版:⌘ & fn & ↓)
Ctrl	&	Tab	開いている他のエクセルに移動(Shiftも同時押しで逆戻り)
Alt	&	Tab	他のファイル・アプリケーションに移動(Mac版:⌘ & Tab)

図表2-7 Ctrl & Tabショートカットのイメージ

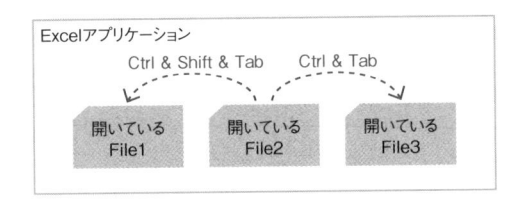

図表2-8 Alt & Tabショートカットのイメージ

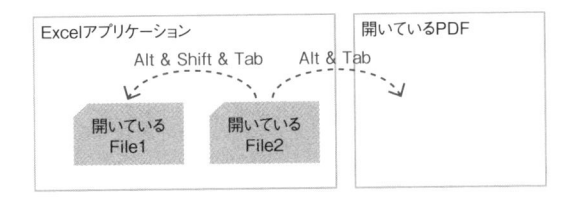

■ 行・列の操作に関するショートカット

　行と列は、漢字の形で覚えると便利です（図表2-9）。
　たとえば、ある列を選択したいときは、マウスでその行をクリックする必要はなく、選択したい列のあるセルを選び、Ctrl & Space とすれば済みます。行の場合は Shift & Space です。なお、このショートカットをはじめ、

図表2-9 行と列

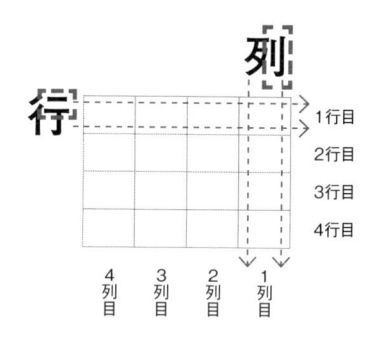

[図: 行と列の説明図。行は横方向（1行目、2行目、3行目、4行目）、列は縦方向（1列目、2列目、3列目、4列目）]

いくつかのものは、英数字入力モードでないと機能しないのでご注意ください。

また、そのようにして、行や列を選んだ状態で、新しい行・列を追加したい場合には Ctrl & + を使います。

図表2-10 行・列の操作に関するショートカット

入力キー1		入力キー2	内容
Ctrl	&	Space	列の選択（Mac版：ctrl & Space）
Shift	&	Space	行の選択（Mac版：shift & Space）
Ctrl	&	＋	（選択した後に）行・列の追加（Mac版：ctrl & I）
Ctrl	&	－	（選択した後に）行・列の削除（Mac版：ctrl & K）

■ その他知っておくと便利なショートカット

Excelとは関係ありませんが、知っておくと便利な操作を紹介しておきましょう。

Windowsキー & D を押すと、開いているすべてのウィンドウを最小化で

きます。さらにもう一度 Windows & D を押すと、最小化させていたウィンドウが元に戻ります。デスクトップ上に置いているファイルを参照したいときなどに便利です。Mac版の場合には、fn と F11 で同じことができます。

　マイコンピューターを開いて、共有フォルダにアクセスすることも多いと思いますが、そういったときには、Windows & E が便利です（Mac版なら⌘ & shift & H）。

　セキュリティ上の理由から、休憩にいく前にPCをロックすることが求められる会社も多いでしょう。そういうときは、Windows & L で PC はロックされた状態になり、パスワード入力（パスワード規定があれば）をしなければ開けられなくなります。

　退社するときにはPCを終了させる必要がありますが、Alt & F4 で、アプリケーションや Windows を終了させることができます。一刻もはやく会社を出たいときなどに便利ですね。

図表2-11　知っておくと便利なショートカット

入力キー1		入力キー2	内容
Windows	&	D	全ウィンドウを最小化・元に戻す(Mac版:fn & F11)
Windows	&	E	マイコンピューターを開く（Mac版：⌘ & shift & H）
Windows	&	L	PCをロックする
Alt	&	F4	終了する

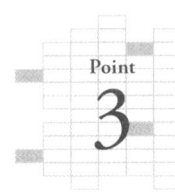

Point 3　Altキーを用いた ショートカット

■ Officeの作業効率を向上させるAltキーを用いたショートカット

　Ctrl・Shiftキーなどを用いたショートカットは便利ですが、すべてのExcel操作に対応しているわけではありません。たとえば、「形式を選択して貼り付け」などは、CtrlやShiftキーのショートカットで行うことはできません。[*3]

　そこで活躍するのが、Altキーを用いたショートカットです。これは非常に高い汎用性を持っているとともに、Excelだけでなく、Microsoft Officeのアプリケーションにおける作業を画期的に向上させてくれます。

　やり方を説明しましょう。Excelの画面で、まずはAltキーを一度押します。すると、各選択項目にアルファベットが表示されるようになります（旧バージョンのExcelであれば、下線がひかれる形式でアルファベットが表示されます）。そして、マウスで各項目をクリックする代わりに、選択したい項目のアルファベットをタイプします。たとえば、「ホーム」に属する機能を使いたいのであれば、「ホーム」をマウスでクリックする代わりにHとタイプし、「挿入」に属する機能を使いたいのであれば、「挿入」をクリックする代わりにNをタイプします。

　すると、さらに細かい項目が表示されるようになるので、また同様にアルファベットをタイプしていくと、その機能を使うことができるようになります。

---

*3　Mac版であれば、「command & ctrl & V」で対応可能です。

普通のショートカットキーは、様々な組み合わせのキーを同時押しするものですが、Altキーを用いたショートカットキーは、Altを押した後に、他のキーを順にタイプすることによって操作します。Altと同時に押しても動作しませんから、注意してください。

図表2-12　Altキーを用いたショートカット

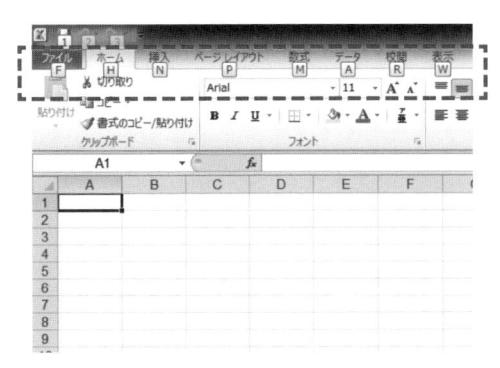

「ホーム」に属する機能を使いたいのであれば、「ホーム」をマウスでクリックする代わりにHをタイプ、「挿入」に属する機能を使いたいのであれば、「挿入」をクリックする代わりにNをタイプする。

　Altキーを用いたショートカットは、非常に汎用性が高いです。ほぼすべてのExcelの操作をキーボードだけでできるわけですから、先に紹介した、CtrlキーやShiftキーを使ったショートカットのほとんどすべては、このAltキーを使ったショートカットで代替することができます。

　また、操作に慣れていなくても、Altキーを使ったショートカットがあることを知っていさえすれば、マウスを使って操作するよりも随分と速く操作をすることができます。使い勝手のよい作業効率化の方法なので、ぜひ覚えてください。

■ 使用頻度の高いAltキーを使ったショートカット

　ここで、使用頻度の高いAltキーのショートカットを紹介しましょう。

図表2-13 使用頻度の高いAltキーを使ったショートカット

キー	機能
Alt → H →V	形式選択貼り付け（コピーしたあとに使用）
Alt → P → R → S	選択エリアを印刷範囲に設定
Alt → F →A	名前をつけて保存

　Altのショートカットは実際にAltキーを用いながら覚えられるので、紹介するものは少数にとどめておきます。なお、Altキーを使ったショートカットは、Excelのバージョンが変わり、機能の配置が変わると必然的に変わってしまいますが、古いバージョンのExcelで使用することができたショートカットはそのまま使用できるようになっています。たとえば「Alt → T → O」でExcelのオプションを開いたり、「Alt → E → S」で形式選択貼り付けをしたり、といったコマンドは継続して使用可能です。

　ところで、こんなに便利なAltキーを用いたショートカットですが、Mac版のExcelでは使うことができません。これがMac版Excel最大の泣きどころですが、その打開策としては、ショートカットの割り当てを行うことが挙げられます。その方法をコラム4で紹介しますのでMacユーザーの方はご覧になってみてください。

■ クイックアクセスツールバーで自分だけのショートカットを作る

　Office 2007以降のWindows版Excelでは、クイックアクセスツールバーが使えるようになりました。これは一言でいうと「Altを使った自分だけのショートカット」です。しかもExcelだけでなく、すべてのOfficeで使える便利な機能です。

　使い方を説明しましょう。まずは「ファイル」→「オプション」から、クイックアクセスツールバーを表示させます。すると図表2-14の画面が出てきます。

図表2-14　クイックアクセスツールバー①

「コマンドの選択」から「すべてのコマンド」を選ぶと、Excelで行うことのできるほぼすべてのコマンドが表示されます。

その中で、たとえば「値と形式の貼り付け」をよく仕事で使うのであれば、それを選択し追加します。その後、Altを押すと、左上に数字が現れます。「値と形式の貼り付け」のコマンドはクイックアクセスツールバーに追加されたコマンドの5番目なので、5という数字がつけられています。なので「Alt → 5」だけのショートカットで、値と形式の貼り付けができるようになります（もちろん、これは貼り付けコマンドなので、先にセルをコピーしてからでないと使えません）。

図表2-15 クイックアクセスツールバー②

5に、「値と形式の貼り付け」が追加された

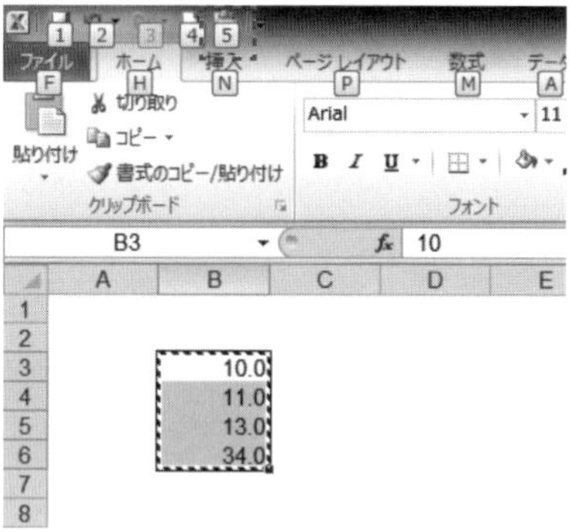

　クイックアクセスツールバーは、普段であれば何ステップか踏まないと行えない作業を、Altと数字キーだけで実行することができる、とても汎用性の高いショートカットです。普段よく使う作業があれば、活用してみてください。ただし、自分のPCだけでなく、他人のPCを用いて作業をすることが多い人の場合は、なるべく普通のショートカットを覚えたほうがいいでしょう。

Column 4 Mac版Excelに標準登録されていないショートカットの対応方法

本編でお話ししたように、Mac版のExcelではAltキーを用いたショートカットが使えません。それが不便なために「ExcelだけはWindowsで」という人は少なくないでしょう。私もフォントの美しさからMacを愛用しているのですが、Excelだけが悩みの種でした。

その状況を打開する方法が、ショートカット設定を使うことです。やり方は簡単です。まず「ツール」→「ショートカットキーのユーザー設定」を選択します。

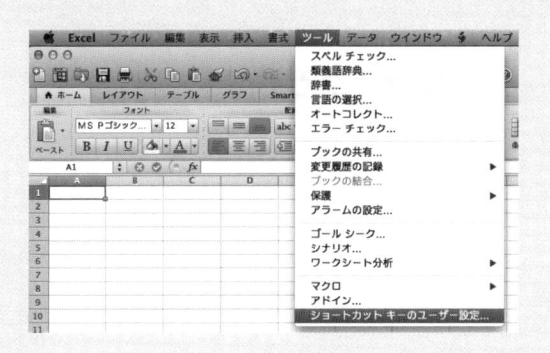

ここでは、基本的にすべてのExcel動作について、ショートカット設定をすることが可能です（また、すでに存在しているショートカットもすべて調べることができます）。たとえば、「ページ設定」機能には、Mac版Excelではショートカットが存在していません。これに「⌘ & shift & P」というショートカットキーを割り当てるためには、次のような作業を行います。

①「ショートカットキーの割り当て」ダイアログから、ページ設定の機能を選択

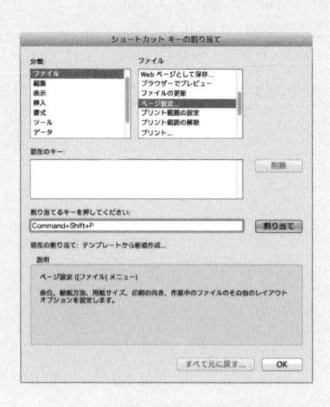

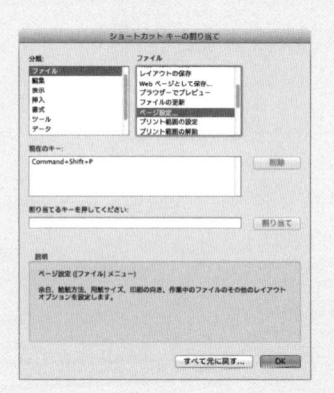

②「割り当てるキーを押してください」の欄にいき、「⌘ & shift & P」を押す

③「割り当て」をクリックする

　これで完了です。以後、「⌘ & shift & P」を押せば、ページ設定のダイアログを開けるようになります。

Point 4 検索・置換・コピペを使った応用ワザ

◾ 検索機能をブックマークとして利用する

　Excelには色々と便利な機能がついています。しかし、Excelの使い方に関する分厚い本では、利用することで業務効率が格段に上がる機能も、あまり使われない機能も一緒に並んでいるので、本を読んでもどれが実際の仕事に役に立つのかなかなかわかりません。

　ここでは、財務や経営企画・分析の仕事をする人がかなり頻繁に使う便利なExcel機能を紹介しましょう。まず紹介するのは、ExcelだけでなくWordやPowerPointにも通常ついている検索機能です。

　Ctrl & Fで行う検索は、Excelで該当する箇所を探すだけでなく、100ページ以上になるWordやPDFの契約書で該当箇所を探したり、文字の多いウェブサイトで関連する情報を探したりするときに便利ですよね。

　しかし、それ以外にも検索は使い道があります。その1つは「大きなファイルにおけるブックマーク代わり」です。

　大きなファイルを操作しているときには、どのあたりまで作業をしたのか、どのあたりで追加作業をする必要があるのかを忘れてしまいがちです。

　そういった時には、その作業をする予定であるセルの近くに、普段は絶対に登場しないような文字列を打ち込んでおきます。私の場合は、その日の作業を終える前に、明日追加で作業する必要がある箇所に「7777」とタイプします。そして次の日にExcelを開いたら、検索画面で「7777」と検索するのです。そうすると、どこが今日作業する予定の場所だったかがすぐに思い出せるので、手間が省けることになります。これはExcelだけでなく、Wordで長い文章を書いているときにもかなり便利です。

第2章｜Excelの作業スピードを3倍にする　065

■ 置換で数式を一括変換する

次は置換機能です。置換機能について「検索した単語を置き換えるだけだろう」と思っている人がいるかもしれませんが、使い方次第では色々と便利なことができるのです。

次のような表があるとしましょう。

図表2-16 表①

成績結果

	数学	理科	英語	平均
生徒1	37	92	59	62.7
生徒2	34	73	93	66.7
生徒3	67	57	86	70.0
生徒4	80	46	71	65.7
生徒5	90	43	53	62.0
生徒6	89	44	33	55.3
生徒7	90	86	67	81.0
全体	**80**	**57**	**67**	**66**

平均や全体成績は、次のような数式で計算されています。

図表2-17 表②

	A	B	C	D	E	F
1						
2						
3			成績結果			
4						
5			数学	理科	英語	平均
6		生徒1	37	92	59	=AVERAGE(C6:E6)
7		生徒2	34	73	93	=AVERAGE(C7:E7)
8		生徒3	67	57	86	=AVERAGE(C8:E8)
9		生徒4	80	46	71	=AVERAGE(C9:E9)
10		生徒5	90	43	53	=AVERAGE(C10:E10)
11		生徒6	89	44	33	=AVERAGE(C11:E11)
12		生徒7	90	86	67	=AVERAGE(C12:E12)
13		**全体**	=AVERAGE(C6:C12)	=AVERAGE(D6:D12)	=AVERAGE(E6:E12)	=AVERAGE(F6:F12)

ここで、下の「全体」の成績を、平均ではなく中央値にするためにはどうすればよいでしょうか。素直に数式を修正するのも1つの方法ですが、置換が便利な場合もあります。

　大切なことをまずお伝えしておきましょう。置換をする場合には、それを適用する範囲を選択します。そうでないとExcelシート内のすべての数式が置換の対象になってしまうからです。

図表2-18　置換①

成績結果

	数学	理科	英語	平均
生徒1	37	92	59	=AVERAGE(C6:E6)
生徒2	34	73	93	=AVERAGE(C7:E7)
生徒3	67	57	86	=AVERAGE(C8:E8)
生徒4	80	46	71	=AVERAGE(C9:E9)
生徒5	90	43	53	=AVERAGE(C10:E10)
生徒6	89	44	33	=AVERAGE(C11:E11)
生徒7	90	86	67	=AVERAGE(C12:E12)
全体	=AVERAGE(C6:C12)	=AVERAGE(D6:D12)	=AVERAGE(E6:E12)	=AVERAGE(F6:F12)

　そして、選択した後に、Ctrl & Hで置換のダイアログを表示して、AVERAGEを、中央値を表示する式であるMEDIANとするように入力し、「すべて置換」をクリックします（Alt → Aで同じことができます）。

図表2-19　置換②

すると、元の式がすべて置き換わるようになります。

図表2-20 置換③

成績結果

	数学	理科	英語	平均
生徒1	37	92	59	=AVERAGE(C6:E6)
生徒2	34	73	93	=AVERAGE(C7:E7)
生徒3	67	57	86	=AVERAGE(C8:E8)
生徒4	80	46	71	=AVERAGE(C9:E9)
生徒5	90	43	53	=AVERAGE(C10:E10)
生徒6	89	44	33	=AVERAGE(C11:E11)
生徒7	90	86	67	=AVERAGE(C12:E12)
全体	=MEDIAN(C6:C12)	=MEDIAN(D6:D12)	=MEDIAN(E6:E12)	=MEDIAN(F6:F12)

　このように、置換機能を活用すると、単に文字列を置き換えるだけでなく、式の内容も変更することが可能です。関数を変えることも、関数の中の参照先を変えることも可能で、意外と多くの場面で役立つようになっています。

■ ワイルドカード

　検索と置換ではワイルドカードを使うことができます。ここでいうワイルドカードとは、トランプのポーカーにおけるジョーカーのように、「他のものに代替可能なもの」という意味で使っています。

　本章の冒頭で出題した問題3（48ページ）をもう一度見てみましょう。「＝」以下の文字をすべて消してしまいたいとします。1つ1つ手作業をするのは面倒ですよね。

図表2-21 置換④(問題3)

```
当期純利益＝損益計算書の数値とリンク
減価償却費/のれん償却費＝同上
運転資本の増減＝債権(増)減+債務増(減)
設備投資＝主要指標の数値とリンク
借入の増減＝今期の残高－去年の残高
支払配当金
その他
現金及び現金同等物の増減＝上記合計
期末現預金＝去年残高+今期変化額
バランスチェック＝貸借対照表の現預金－計算結果
```

　こういうときに、ワイルドカードは大活躍します。置換の画面で、「検索する文字列」に「＝＊」と入力し、置換後の文字列を空白にします。ここで「＊」はワイルドカードで、どんな文字列であっても「＝」の後に続くものはすべて置換の対象になります。

図表2-22 置換⑤

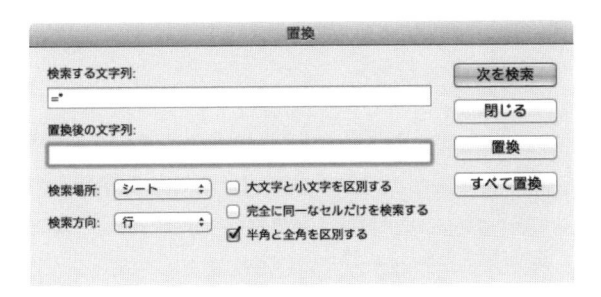

[置換ダイアログ画像：検索する文字列「=*」、置換後の文字列は空白]

　結果、一発で「＝」以下の文字列を消すことができました。

図表2-23　置換⑥

当期純利益
減価償却費/のれん償却費
運転資本の増減
設備投資
借入の増減
支払配当金
その他
現金及び現金同等物の増減
期末現預金
バランスチェック

　なお、任意の1文字だけを検索したい場合には「？」を用います。たとえば検索で「第？位」とした場合、「第1位」から「第9位」までが検索されます。このとき「第10位」のように「第」と「位」の間に2文字以上あるものは検索されないので、逆に2桁順位のものだけを探す場合には「第？？位」とします。

　ワイルドカードでは、他にも様々な条件指定ができますので、興味のある人は分厚い解説書やウェブ検索で調べてみてください。

▊ 貼り付けでできる様々なこと

　次に紹介したい機能は貼り付けです。「コピペ」はもはや市民権を得た言葉ですが、Excelで使うことができるコピペは意外と奥が深いのです。
　様々なコピペは、Excelの「形式を選択して貼り付け」から行うことができます。

図表2-24 貼り付け①

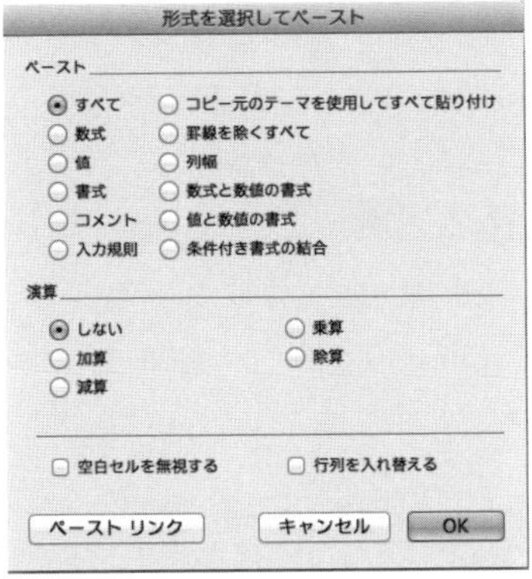

[形式を選択してペーストダイアログの画像]

基本的な貼り付け項目をおさらいしておきましょう。

①すべて

　数式、値、書式、コメントなどすべてが貼り付けられる。Ctrl & Vで行われる貼り付けはこの貼り付け。一番ポピュラーな貼り付けだが、書式まで貼り付けられると面倒な場合などが少なくない。書式などが決まっていないラフな作業時には便利さの観点から活用される。

②数式

　数式だけを貼り付ける。一度書式を揃えた後のExcelで、数式をコピペしたい場合にはこれを用いる。

③値

　値だけを貼り付ける。数式と違って参照先がずれたりしても値であればつられて変化しなくなるので、もう変わることが無いような項目を貼り付ける場合にはこれを用いる。

④書式

　書式だけを貼り付ける。罫線や文字サイズ、表示形式などを作り込んだあと、他のセルも同じようにしたい場合に活躍する。

また、「形式を選択して貼り付け」には、意外と便利な演算機能までついています。

たとえば、次のような表があったとしましょう。

図表2-25 貼り付け② 演算貼り付け実施前

単位：千円

	2006	2007	2008	2009	2010	2011	2012
売上	891,099	980,209	1,078,230	1,186,053	1,304,658	1,435,124	1,578,636

いまは単位が千円ですが、そんなに細かく表示をする必要が無いので、単位を100万円にしたいとします。こういった場合に活躍するのが「形式を選択して貼り付け」の演算機能です。

まずは、Excelのシートのどこかに「1000」とタイプし、それをコピーします。

図表2-26 貼り付け③

単位：千円

	2006	2007	2008	2009	2010	2011	2012
売上	891,099	980,209	1,078,230	1,186,053	1,304,658	1,435,124	1,578,636

1000 ←------ 1000とタイプして、それをコピーする

そして、2006年から2012年までの売上を選択し、「形式を選択して貼り付け」を行います。選択するのは、「値」と「除算」。

図表2-27 貼り付け④

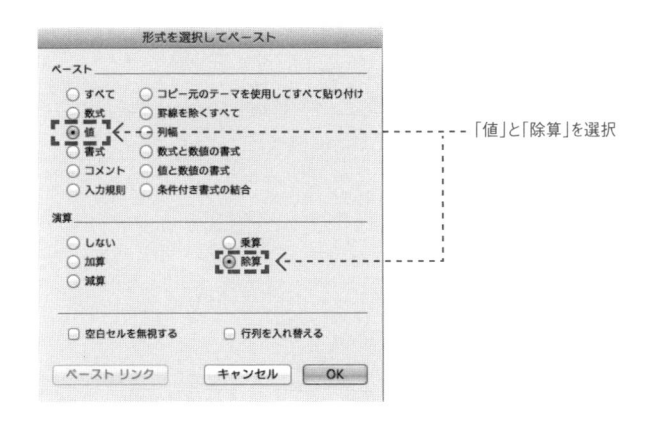

「値」と「除算」を選択

そうすれば、すべての数字が一瞬で3桁下がるようになります。

図表2-28 貼り付け⑤ 演算貼り付け実施後

単位：百万円

	2006	2007	2008	2009	2010	2011	2012
売上	891	980	1,078	1,186	1,305	1,435	1,579

　この演算機能はかなり便利で、数式の編集などにも用いることができます。
　他にも便利なのが、行列の入れ替え機能です。上の表をコピーして、「行列を入れ替える」を選択します。

図表2-29 貼り付け⑥

単位：百万円

	2006	2007	2008	2009	2010	2011	2012
売上	891	980	1,078	1,186	1,305	1,435	1,579

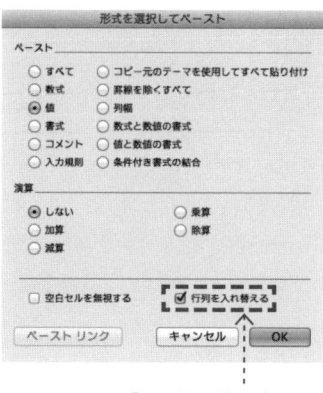

「行列を入れ替える」を選択

すると、表の行列が入れ替わって表示されるようになります。

図表2-30 貼り付け⑦ 行列入れ替え貼り付け

単位：百万円

	2006	2007	2008	2009	2010	2011	2012
売上	891	980	1,078	1,186	1,305	1,435	1,579

	売上
2006	891
2007	980
2008	1,078
2009	1,186
2010	1,305
2011	1,435
2012	1,579

■ パワポにコピペする際のコツ

　最後に、少し番外編ですが、Excelで作ったグラフや表をWordやPowerPointにコピペするときについて。

　こういった場合には、Windowsであれば「拡張メタファイル」を選択します。というのも、この形式で貼り付けをするとその画像が綺麗に表示されるからです。Macであれば「PDF」を選択すると同様に綺麗に表やグラフを貼り付けられるようになります。

　なお、Excelでのグラフの作り方については、既に様々な本が存在しているので、本書では紹介していません。興味のある方は、たとえば『外資系コンサルのスライド作成術』（山口周著、東洋経済新報社）などを読んでみるとよいでしょう。

Point 5 経営企画や財務関係の仕事で役立つ関数20選

Excelでは関数を用いて作業を効率化させることができる場合があります。ここでは特に、財務や経営企画の仕事でよく用いる関数を紹介しましょう。

本書はExcelの解説書ではないので、具体的な関数の使い方について知りたい方は、解説書を見ておいてください。本書では、主に使える関数について、その用途を簡単に紹介するにとどめておきます。仕事の性質により使用する関数も異なってきますので、ここに掲載されていない関数を頻繁に使う人もいるかもしれません。

なお様々な関数をマスターするためのコツは、「何か問題に直面したら、それを解決する関数がないか探してみて、あれば使うこと」につきます。

■ 比較表を作る際によく用いる関数

まずは、比較表などを作るときに必要な関数を紹介します。

図表2-31 比較表を作る際によく用いる関数

関数名	機能	用途
MAX	最大値を求める	同業他社数値の最大値を求めるときに
MIN	最小値を求める	同業他社数値の最小値を求めるときに
MEDIAN	中央値を求める	同業他社数値の中央値を求めるときに
SUMPRODUCT	選択したセルの掛け算の合算	加重平均をするときに

たとえば同業企業の比較表を作るときなどにこういった式が使われます。

図表2-32 同業企業の比較表

	A	B	C	D		
1						
2		類似企業の売上・利益比較				
3						
4			売上	営業利益率		D列11行目以下の関数
5		A社	126,655	10.2%		
6		B社	132,836	13.0%		
7		C社	99,787	14.7%		
8		D社	140,964	14.7%		
9		E社	24,375	8.7%		
10		F社	35,350	14.4%		
11		最大	140,964	14.7%	←	=MAX(D5:D10)
12		最小	24,375	8.7%	←	=MIN(D5:D10)
13		中央値	113,221	13.7%	←	=MEDIAN(D5:D10)
14		営業利益率の単純平均		12.6%	←	=AVERAGE(D5:D10)
15		営業利益率の加重平均		13.0%	←	=SUMPRODUCT(C5:C10,D5:D10)/SUM(C5:C10)

■ 大量のデータをまとめる際に便利な関数

次は、大量のデータをまとめて処理したり、1つの表にしたりするときなどに便利な関数です。

図表2-33 大量のデータをまとめる際に便利な関数一覧

関数名	機能	用途
SUMIF	条件に一致するセルを合算	ある項目の合計値を計算するときに
COUNTIF	条件に一致するセルの数を返す	ある項目がいくつあるかを数えるときに
VLOOKUP	条件に一致する値を返す	列にあるID番号に該当する値を探すときに
HLOOKUP	条件に一致する値を返す	行にあるID番号に該当する値を探すときに
ASC	全角文字を半角文字に変える	データの全角・半角を統一するときに
JIS	半角文字を全角文字に変える	データの全角・半角を統一するときに
REPT	特定の文字列を繰り返し表示	パラメータを★の数などで示すときに

たとえばREPT関数を使うと、星取表を簡単に表現できます。

図表2-34　星取表

	A	B	C	D		
1						
2		各社の評価				
3						
4		会社名	評価			D列に使われている数式
5		A社	10	★★★★★★★★★★	←	=REPT("★",C5)
6		B社	5	★★★★★	←	=REPT("★",C6)
7		C社	7	★★★★★★★	←	=REPT("★",C7)
8		E社	3	★★★	←	=REPT("★",C8)
9		D社	8	★★★★★★★★	←	=REPT("★",C9)

また、後にモデル作成のセクションで見るように、SUMIF関数はシナリオ分析を行う上で重要な役割を果たします。

■ 定型文を用いたレポート作成などに役立つ関数

中に入る数字だけが変わる定型文を作るときに便利な関数です。

図表2-35　定型文を作るときに役立つ関数

関数名	機能	用途
TODAY	今日が何日か示す	レポートの日付を毎日更新するときに
NOW	現在の年月日時を示す	モニターを使いながらタイムキーパーをするときに
&	様々な値をつなげる	""やTEXTと併せて定型文を作るときに
""	数式に文字列を挟む	&やTEXTと併せて定型文を作るときに
TEXT	値の表示形式を変換する	&や""と併せて定型文をつくるときに

たとえばTEXT関数は、TEXT（値、表示形式）、という構成になっています。いくつかの例を紹介しましょう。

図表2-36　TEXT関数の使用例

式の内容	式の結果
TEXT (1000,"0,000億円")	1,000億円
TEXT (1,"0.0%")	100.0%
TEXT (2,"0.0x")	2.0x

なお、「&」と「""」をTEXT関数と組み合わせることで、第2部で紹介するモデルの分析の幅が広がります。これについては、後で詳しく説明します。

■ 論理計算やシミュレーションを行う際に役立つ関数

第2部で紹介するモデルなどでは、IF関数が必要になる場合がありますが、そういう時のための関数を紹介します。

図表2-37　論理計算で役立つ関数

関数名	機能	用途
IF	場合に分けて結果を表示	シミュレーションをするときに
AND	論理式の「かつ」の代わり	条件が複数あるシミュレーションに
OR	論理式の「もしくは」の代わり	条件が複数あるシミュレーションに
ISERROR	エラーの場合に特定の値を返す	エラー表示をさせたくないときに

たとえばISERROR関数は、何らかの関数を使う際に、エラー表示が出

てしまうものを処理する場合に使います。例えば下記の表では、内部収益率（本論とは関係ないので言葉の説明は省きます）を計算する IRR 関数を用いた際に、Project B は回収金額がゼロなので放っておくと Error（#NUM!）になってしまうので、IF 関数と ISERROR 関数を組み合わせて使うことによって、それを回避させています。

図表2-38 ISERROR関数を使わない場合

	A	B	C	D	E		
1							
2		投資リターンのまとめ					
3							
4			投資金額	回収金額	IRR		計算式
5		Project A	(5,000)	15,000	200.0%	←	=IRR(C5:D5)
6		Project B	(5,000)	0	#NUM!	←	=IRR(C6:D6)
7		Project C	(5,000)	3,000	-40.0%	←	=IRR(C7:D7)

図表2-39 ISERROR関数を使った場合

	A	B	C	D	E		
1							
2		投資リターンのまとめ					
3							
4			投資金額	回収金額	IRR		計算式
5		Project A	(5,000)	15,000	200.0%	←	=IF(ISERROR(IRR(C5:D5)),"N/A",IRR(C5:D5))
6		Project B	(5,000)	0	N/A	←	=IF(ISERROR(IRR(C6:D6)),"N/A",IRR(C6:D6))
7		Project C	(5,000)	3,000	-40.0%	←	=IF(ISERROR(IRR(C7:D7)),"N/A",IRR(C7:D7))

IRR関数の計算結果がエラーになる場合には、N/Aを、そうでない場合には計算結果を表示

Point 6 問題の答え合わせ

■ 解答

最後に、本章の冒頭で出題した問題の答え合わせをしておきましょう。

問題1：マウス
問題2：Ctrl & 1
問題3：ワイルドカード機能を用いて置換する
問題4：数式貼り付け、値貼り付け、書式貼り付け、コメント貼り付け、加算・減算・乗算・除算等の演算、リンク貼り付け、行列入れ替え、など
問題5：REPT関数

第2章のまとめ

- Excelでは様々な機能を駆使しながら作業をすることが多いため、それら機能にどの程度習熟しているかによって、作業スピードに格段の差が生まれる
- 作業を速くする一番大切なことは、マウスを使わず、作業のほとんどをキーボードのショートカットで行うこと。CtrlやShiftなどを用いたショートカット以外にも、Altキーを用いたショートカット、クイックアクセスツールバーを用いたショートカットを用いることにより、作業スピードは劇的に改善する
- 検索（Ctrl & F）は、文字列を探してくれるだけでなく、大きなファイルで作業しているときのブックマーク代わりに使うこともできる
- 置換（Ctrl & H）では、選択範囲の設定、ワイルドカード機能との組み合わせによって、できることの幅が広がる
- コピペには、様々な形式での貼り付け、演算、行列組み換えなどがあり、これらを分けて使うことによって作業スピードは大きく向上する
- 使いこなせる関数が増えることによっても、作業スピードは速くなる。関数をマスターするための方法は、「何か問題に直面したら、それを解決する関数がないか探してみて、それがあれば使うこと」に尽きる

EXCEL FINANCIAL MODELING FOR
INVESTMENT PROFESSIONALS

第 2 部

モデル編

第3章

初級者のための
モデル作成入門

第2部では、Excelによるモデルの作り方と使い方を紹介します。Excelにおけるモデルとは「何らかのインプットを入力すれば、それに対応するアウトプットが出てくる表」のことで、特に企業の財務予測に用いられるモデルを財務モデルといいます。

まずこの章では、財務モデルを紹介する前に、モデルの説明をします。財務モデルを作る上での入門編でもあり、また、モデルの組み方を理解できるだけでも、たとえば家計簿の作成や予定表の作成などに役立てることができます。

Introduction イントロダクション

　モデルの中でも、特に企業の財務予測に用いられるモデルを財務モデルといいます。財務関係の英語では、単にModelとよんだり、Financial Model、Financial Projection Modelとよんだりします。本書の最終的な目標は、財務モデルを使いこなせるようになることです。これができれば、企業の将来の財務状況についての多様なシナリオ分析や、ある要因（たとえば国債利回り）が0.5％、1％、1.5％、2.0％変化した時に企業の財務状況がどうなるかについての感度分析ができるようになります。こういった分析ができるようになると、企業の儲けの構造（ビジネスモデル）や将来性、リスク要因がより明確になり、戦略立案や投資の意思決定がより良いものになります。

　財務モデルを組むことは、投資銀行で財務アドバイザーを行う人々、投資ファンドで働く人々、さらには企業の財務部門や経営企画部で働く人々にとって必須のスキルです。特に投資銀行や投資ファンドで働く場合、モデルを組めない人は生きていけません（よほどシニアで営業だけやっていればよい人は別ですが）。というのも仕事のかなりの割合が、モデルを駆使して行われる様々な分析に費やされるからです。程度は違えど、企業の事業計画を作る部門の人にとっても、モデルが組めることは仕事の質を高める上で大いに役立つでしょう。

　また上記のような職種以外の方でも、将来「経営者人材になりたい」「起業したい」と考えている人にとって、財務モデルを組めること（少なくともその組み方を知っていること）は心強い武器になります。経営者であれば自社の事業計画について熟知している必要がありますし、起業家であっても外部から資金調達をする際にこういったモデルを組むことが必要になる場合が少なくないからです。

Point 1 モデルと財務モデル

■ モデル＝インプットに対してアウトプットが出てくる表

　本書の冒頭で述べたように、モデルとは「何らかのインプットを入力すれば、それに対応するアウトプットが出てくる表」のことです。インプット＝前提条件、アウトプット＝結果と言い換えてもよいでしょう。
　例が無いとわかりにくいので、ちょっと問題を出してみましょう。

問題1
あるレストランの現在の売上が1億円、営業利益が1000万円だったとします。もし、このレストランの売上が年率10％で伸び続け、営業利益率が維持されるのであれば、3年後の営業利益はどうなるでしょうか。

問題2
このレストランの収支予測について、上司から「毎年の売上成長率と営業利益について、色々な組み合わせを試してみたい。そういったシミュレーションができるようにしてくれないか」といわれました。こういった場合には、どうすればよいでしょうか。

問題3
毎年の売上成長率が0％、5％、10％、15％、20％の場合と、営業利益率が5％、10％、15％、20％である場合における3年後の営業利益に関する図表3-1のような表を完成させたいと思っています。こういった作業を素早く終わらせるにはどうすればよいでしょうか。

図表3-1　問題3：場合別の3年後の営業利益

場合別の営業利益
単位：千円

営業利益率	売上成長率				
	0%	5%	10%	15%	20%
5%					
10%					
15%					
20%					

　問題1は小学校の算数でやったような問題ですね（ちなみに財務モデルでやることのほとんどは小学校の算数レベルの延長です）。電卓があれば1分とかからないでしょう。3年後の売上は1億円×1.1の3乗＝13,310万円。営業利益率は10％なので、13,310×10％＝1,331万円です。

　問題2はどうでしょう。いくら電卓を速く扱える人でも、こういうシチュエーションですべての前提条件に対応する答えを準備するのは簡単ではありません。

　そこで活躍するのがモデルです。今回のような問題において、組まれるモデルは次のようなものになります。

図表3-2　モデルの例①（問題2）

レストランの収支予測
単位：千円

	今年	1年後	2年後	3年後
売上の成長率		10%	10%	10%
売上	100,000	110,000	121,000	133,100
営業利益率		10%	10%	10%
営業利益	10,000	11,000	12,100	13,310

99ページで説明するようにモデルでは、青字をインプットとして数字をベタ打ちし、それ以外の黒字の数字はすべて数式で作られています。たとえば、このシンプルなモデルの中身は、次のような計算式で組まれています。

図表3-3　モデルの中身（問題2）

	A	B	C	D	E	
1			今年	1年後	2年後	3年後	計算式の意味
2	売上の成長率			10%	=C2	=D2	左の数値引き伸ばし
3	売上	100,000	=B3*(1+C2)	=C3*(1+D2)	=D3*(1+E2)		一年前×（1+成長率）
4	営業利益率			10%	=C4	=D4	左の数値引き伸ばし
5	営業利益	10,000	=C3*C4	=D3*D4	=E3*E4		売上×営業利益率

だから、青色の数字（インプット）を変えれば、それに応じてすべての結果が変わってくるわけです。

問題3は、モデルを作った後に、第5章で紹介するExcelのデータテーブル機能を用いて計算します。Excelの機能をフル活用すると、こんなことも一瞬でできるようになるのです。

図表3-4　モデルの例②（問題3）

場合別の営業利益
単位：千円

		売上成長率				
営業利益率	0%	5%	10%	15%	20%
5%	5,000	5,788	6,655	7,604	8,640
10%	10,000	11,576	13,310	15,209	17,280
15%	15,000	17,364	19,965	22,813	25,920
20%	20,000	23,153	26,620	30,418	34,560

これでモデルのイメージはついたでしょうか。「インプットとアウトプットだけで成り立つ表」であるモデルは、言い方を換えれば「値の直接入力が許される項目以外は、すべて数式だけで作られる表」に他なりません。

実際に使われるモデルはここであげた例よりもはるかに複雑なものです。実務で用いる財務モデルは少なくとも200行くらいにはなります。しかし、行数が増えたからといってやっていることが別次元のものになっているわけではなく、「値の直接入力からなるインプットと、数式だけで作られるアウトプットから構成される」という本質はまったく変わりません。

■ 財務モデル＝将来の財務三表を計算するモデル

モデルの中でも、会社の将来の財務予測（多くの場合PL、BS、CFの財務三表の将来予測）を計算するモデルのことを財務モデルといいます。

財務モデルを一番多く使うのは、投資ファンド、投資銀行、一部のコンサルティング会社、M&Aを頻繁に行う企業の経営企画部および財務部の人々などです。この人々は、なぜ財務モデルを組むのでしょうか。それは、モデルの性質に由来しています。図表3-5を用いて説明していきましょう。

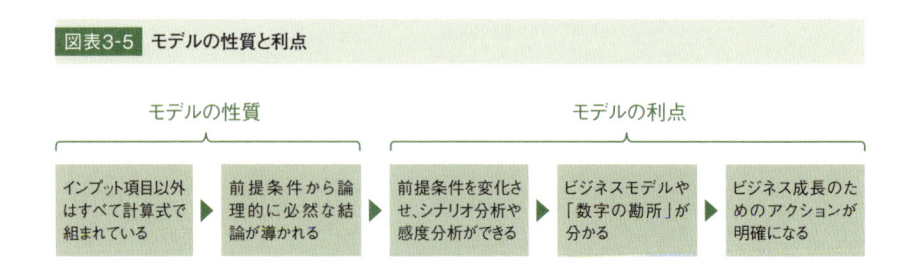

図表3-5　モデルの性質と利点

モデルの性質	モデルの利点
インプット項目以外はすべて計算式で組まれている → 前提条件から論理的に必然な結論が導かれる	前提条件を変化させ、シナリオ分析や感度分析ができる → ビジネスモデルや「数字の勘所」が分かる → ビジネス成長のためのアクションが明確になる

1）前提条件を変化させ、シナリオ分析や感度分析ができる

まず、先に述べたように、モデルにおいてはインプット項目以外がすべて計算式で組まれています。それゆえに、計算式の組み方が正しく、またモデルの細かさの水準感（たとえば、売上を商品別で分けるなど）に問題がない

のであれば、前提条件となるインプットから論理的に必然な結論を得ることができます。

そのため、モデルがあると、前提条件の組み合わせで、「通常シナリオ」「悲観シナリオ」「楽観シナリオ」などのシナリオを作成し、そのシナリオにおける数値結果を簡単に分析することができるようになります。実務における前提条件の数は100を超えることが少なくありません。モデルがあるお陰で、このような前提条件の組み合わせで、複数のシナリオを作成し、その結果がどうなるのかを分析することができます。

また、そういったモデルがあるからこそ、前提条件を少しずつ変化させたときに、企業のパフォーマンスがどのように変化するかを示す感度分析を行うことができるようになります。感度分析の例は、先に図表3-4の「場合別の営業利益」の表で示した通りです。

2) ビジネスモデルや「数字の勘所」がわかる

モデルがあると、シナリオ分析や感度分析などの分析を行うことができるので、分析対象となる企業、自社のビジネスモデルや、その事業における「数字の勘所」がわかるようになります。

ここでいうビジネスモデルとは、「その事業から儲けが生み出される仕組み」のような意味で用いています（ビジネス「モデル」という名前がついていますが、本書でいう財務モデルではありません）。たとえばレストランチェーンであれば「200席のレストランの新規出店にかかる費用が1億円で、材料費が売上の4割、人件費が3割、家賃その他費用が月に500万円だとしたら、客単価が1000円・稼働率が平均50％・回転数10回なら、2年で投資が回収できる」といったことが財務モデルがあると容易に理解できるようになります。

3) ビジネス成長のためのアクションが明確になる

このようなビジネスモデルの理解や数字のセンスが得られることで、企業の業績をより良くするためのアクションがとりやすくなります。たとえば、ある企業のモデルを作ることで、その企業のコスト構造上、客単価が1％ブ

れるだけで最終利益が5%も変動するということがわかるかもしれません。そうした場合には、コスト削減などにも力を入れつつ、いかにして客単価を高めるかに最大の関心を寄せ、そこに組織のリソースを割くべきでしょう。このように、モデルがあることで、どの課題解決に組織の有限なリソースを割くべきかの判断がしやすくなります。

また、財務モデルを作成することにより、それぞれの要因が上ブレ、下ブレした際に、どの程度のインパクトが生じるのかを理解できるようになるので、ある事態が生じたらどういう打ち手をとるべきか、などについてもあらかじめ心の準備ができるようになります。たとえば「原油価格が1%上がったら、半年後には営業利益が5%下がるほどの影響が予想されるので、そういった事態が生じた際には、ボーナスを全体で3割カットする必要がある」といったことを事前に把握しておくことで、実際にそういった事態に陥ったときに素早い対応が可能になります。

■ 財務モデルも「身体で覚える」もの

第2章でも書きましたが、Excelの作業における知識は、身体知、すなわち身体で覚える知識です。よって、モデルを本当に組めるようになるためには、次の二つのことが必要となります。

第一に、自分で手を動かすことです。実際に手を動かしてこそ、モデルを1人で組めるようになります。よって、この章の内容は、単に本を読むだけではほとんど身につかないでしょう（すでにモデルを何度も作っている人は別ですが）。本章の内容を実際に身につけたいのであれば、PCでExcelを開き、自分自身で手を動かしながら、本章で書いていることを自分でも行ないながら読み進めてください。

第二に、繰り返し行うことです。最初に、本書に書いていることに沿って自分でモデルを組んでみたら、今度は本書を閉じて、自分で一から最後までやってみてください。これを3回ほど繰り返すことによってモデル作りをマスターできるようになっていきます。車の乗り方と同じで、覚えるためには反復が必要ですが、一度乗り方を覚えたらもう忘れることはないでしょう。

Point 2 絶対参照と相対参照の違いをキチンと理解する

■ 参照とは

モデル作成の上で必須操作となる、相対参照と絶対参照の違いをまず書いておきましょう。その前にまず、「参照」のおさらいです。

参照とは図表3-6のように、セルやセルの集まりを計算対象としている状態を意味します。

図表3-6 参照

参照とは、何らかのセルを計算対象に含めること。単純な「＝」から、計算式まで様々

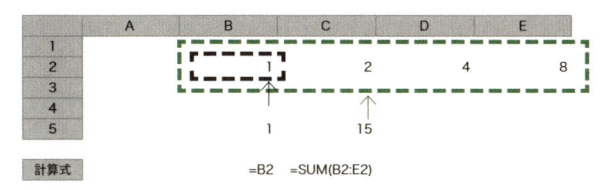

	A	B	C	D	E
1					
2		1	2	4	8
3					
4					
5					

計算式　　　　=B2　=SUM(B2:E2)
　　　　　　　 1   15

■ 相対参照とコピー＆ペースト

図表3-6でされているのは相対参照です。相対参照は「あるセルから左右に○列、上下に○行」という形式でされている参照です。相対参照されているセルをコピー＆ペーストすると、そのコピー先と同じ分参照先がずれていきます。

図表3-7　相対参照①

セルB5をセルD5にコピー&ペースト

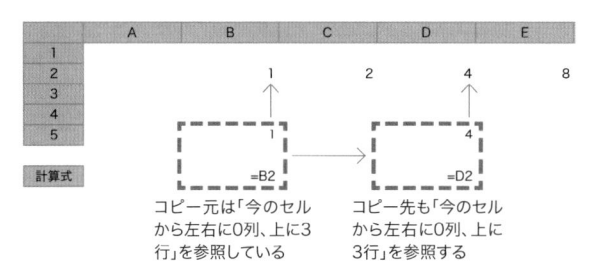

	A	B	C	D	E
1					
2		1	2	4	8
3					
4					
5		=B2		=D2	

計算式

コピー元は「今のセルから左右に0列、上に3行」を参照している

コピー先も「今のセルから左右に0列、上に3行」を参照する

　一方で、カット（切り取り）&ペーストの場合には、参照先は変わりません。これは、カット&ペーストで行っている作業は、「元のセルの情報をそっくりそのまま違う場所に移すこと」だからです。

図表3-8　相対参照②

セルB5をセルD5にカット&ペースト

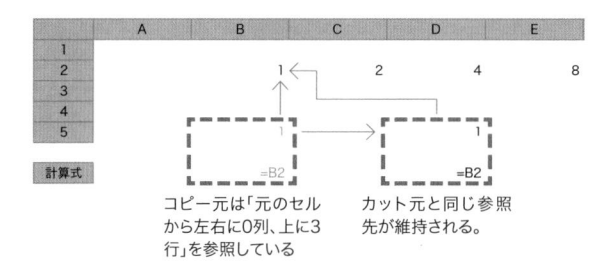

	A	B	C	D	E
1					
2		1	2	4	8
3					
4					
5		=B2		=B2	

計算式

コピー元は「元のセルから左右に0列、上に3行」を参照している

カット元と同じ参照先が維持される。

絶対参照とコピー&ペースト

　参照には、相対参照の他に絶対参照があります。絶対参照をしているセルは、絶対参照の形式に応じ「ドルマーク（$）」がついています。なお、絶対参照は、計算式にドルマークをタイプしてもできますが、計算式の編集

モードでF4を押すことでつけることができます(Mac版の場合は⌘&T)。
　ここで、F4(⌘&T)を押す回数に応じて変わる参照についてまとめておきましょう。

図表3-9　セル「B2」の参照のパターン

F4を押す回数	表示	コピー&ペースト時の取り扱い
0回	B2	相対参照。上下にも左右にも参照先がずれる
1回	$B$2	上下にも左右にも参照先はずれない
2回	B$2	上下の参照はずれず、左右にのみずれる(行を示す2にのみ$がついている)
3回	$B2	左右の参照はずれず、上下にのみずれる(列を示すBにのみ$がついている)

　それぞれの参照におけるのコピー&ペースト結果をまとめておきましょう。

図表3-10　相対参照

セルB6を左右上下にコピー&ペースト

	A	B	C
1	1	2	3
2	4	5	6
3	7	8	9
4			
5			
6		5	
5			

計算式　　=B2

→

	A	B	C
1	1	2	3
2	4	5	6
3	7	8	9
4			
5		2	
6	4	5	6
5		8	

第3章｜初級者のためのモデル作成入門　095

図表3-11 行・列ともに絶対参照

セルB6を左右上下にコピー&ペースト

	A	B	C
1	1	2	3
2	4	5	6
3	7	8	9
4			
5			
6		5	
5			

→

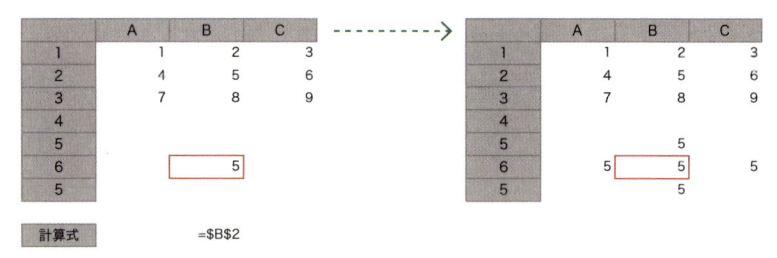

	A	B	C
1	1	2	3
2	4	5	6
3	7	8	9
4			
5		5	
6	5	5	5
5		5	

計算式　=$B$2

図表3-12 行のみ絶対参照

セルB6を左右上下にコピー&ペースト

	A	B	C
1	1	2	3
2	4	5	6
3	7	8	9
4			
5			
6		5	
5			

→

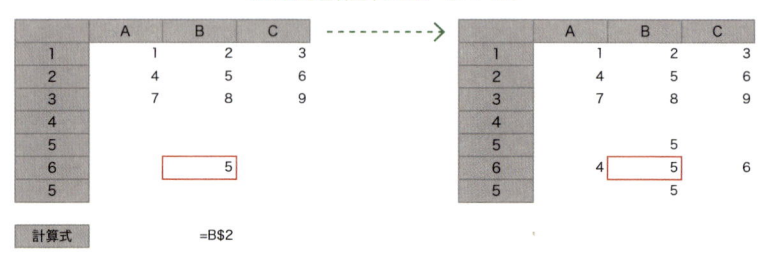

	A	B	C
1	1	2	3
2	4	5	6
3	7	8	9
4			
5		5	
6	4	5	6
5		5	

計算式　=B$2

図表3-13 列のみ絶対参照

セルB6を左右上下にコピー&ペースト

	A	B	C
1	1	2	3
2	4	5	6
3	7	8	9
4			
5			
6		5	
5			

→

	A	B	C
1	1	2	3
2	4	5	6
3	7	8	9
4			
5		2	
6	5	5	5
5		8	

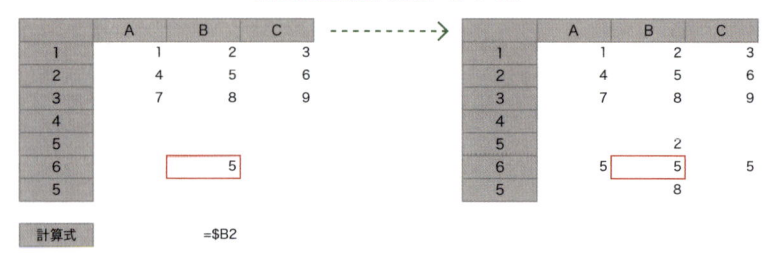

計算式　=$B2

■ 参照されているセルのコピー&ペースト

最後に、参照されているセルをコピー&ペーストしたらどうなるのかを確認しておきましょう。図表3-14を見ればわかるように、参照されているセル（ここではB2）をコピー&ペーストしてどこかに移動させても、セルB6の参照先が変わることはありません。よって、B2のセルをC2のセルに移動させたあと、B2の数字を消去すると、B6の計算結果も0になります。

図表3-14　参照されているセルのコピー&ペースト

(1) セルB2を右にコピー&ペースト
(2) セルB2の数字を消去

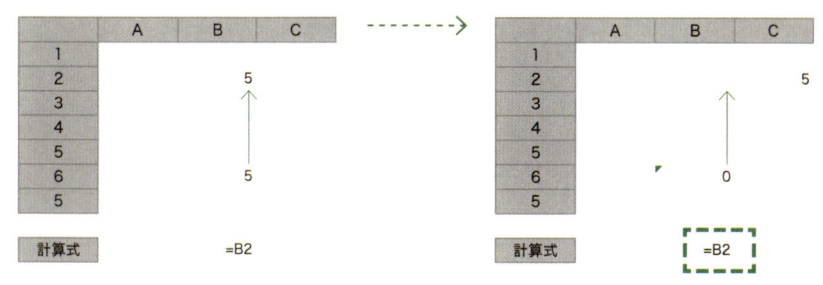

参照されているセル(B2)をコピー&ペーストしても、セルB6の参照先は変わらない

他方で、カット&ペーストの場合には、参照されているセルの行き先に合わせて、参照先が変更されることになります（図表3-15）。

図表3-15 参照されているセルのカット&ペースト

セルB2を左にカット&ペースト

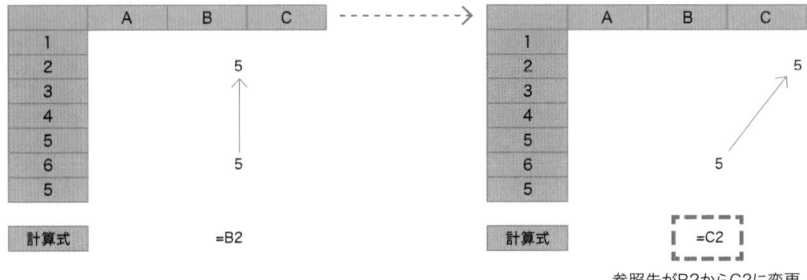

	A	B	C
1			
2		5	
3			
4			
5			
6		5	
5			

計算式　=B2

	A	B	C
1			
2			5
3			
4			
5			
6			5
5			

計算式　=C2

参照先がB2からC2に変更

ここまでの話を表にまとめると、次のようになります。

図表3-16 参照と貼り付けの関係

参照と貼り付けの関係について

		貼り付けの種類	
		コピー&ペースト	カット&ペースト
参照しているセル	相対参照	参照先がずれる	ずれない
	絶対参照	$のついていない行・列だけ参照先がずれる	ずれない
参照されているセル		貼り付けられたセルは参照されない	貼り付けられたセルは参照される

Point 3 簡単なモデルを組んでみよう

本格的なモデルの組み方は第4章で行うとして、ここでは、簡単なモデルを組んでみましょう。

問題
今年の12月末時点で、あなたの手許現金は15万円です。来年の手取り収入は月に30万円、過去平均の支出は、家賃10万円、食費8万円、その他保険などの動かせない支出が4万円、お小遣いなど変更可能な支出が4万円でした。6月と12月には月収と同じだけのボーナスを受け取れますが、3月と8月には今年から小学生になる子どもの学費を30万円払わないといけません。12月には家族でのハワイ旅行を予算20万円で計画しています。
現在の生活水準を維持しながら、今年を乗り切ることは可能でしょうか。

■ インプットは青、アウトプットは黒

こういった計算を、電卓を使って乗り切ろうとすると大変です。モデルを組んだほうが、楽で、はるかにわかりやすくなります。
なお、モデルの作り方にはある約束事があります。それは、インプット欄（すなわち数字をベタ打ちしてよいエリア）の数字は青、アウトプット欄（すなわち数式を組んでいるエリア）の数字は黒にする、ということです。こうすることにより、初めてモデルを見た人でも、どのエリアはいじってよくて、どのエリアはいじってはいけないのかが理解できるようになるためです。

誰が決めたのかはよく知りませんが、モデルを組む人々の間では、「インプットは青字、数式は黒字」というのが世界共通のルールになっています。また、「別シート、別セクションからのリンクの数字は緑字」というのもかなり共有されているルールです。

こういったルールは、モデルが大掛かりになればなるほど守ることが重要になってきます。

それではここから、モデル作りの作業の進め方について紹介しましょう。

ステップ①前提条件を書き出す

まずは、前提条件を Excel に書き出していきましょう。定期的に発生する収入・支出については月額の数値だけ、不定期に発生する収入・支出については時期と金額の両方をインプットとして青字で記載しておきます。

図表3-17 前提条件を書き出す

	A	B	C	D
1				
2	予測家計簿			
3	万円			
4				
5	**定期的に発生する収入・支出**		金額	
6	収入		30	
7	家賃		-10	
8	食費		-8	
9	変更不可その他支出		-4	
10	変更可能その他支出		-4	
11				
12	**不定期に発生する収入・支出**		金額	メモ
13	3月		-30	学費
14	8月		-30	学費
15	6月		30	ボーナス
16	12月		-20	家族旅行
17	12月		30	ボーナス
18				

■ ステップ②予測表の枠を作る

ここまでの作業が終了したら、次にまず予測家計簿の枠を作りましょう。行には各月を書き出し、列には収入・支出の項目を入れておきます。

図表3-18 予測表の枠を作る

月	1月	2月	3月	4月	5月	6月	7月	8月	9月	10月	11月	12月
収入												
家賃												
食費												
変更不可その他支出												
変更可能その他支出												
不定期収入・支出												
キャッシュフロー												
月初現金												
月末現金												

■ ステップ③予測表を計算式だけで埋めていく

こうして作成した枠を、計算式だけで埋めていきます。ベタ打ちは使わず、必ず計算式だけで埋めることにこだわってください。今回の例であれば、次のような要領で進めればよいでしょう。

・定期的に発生する収入・支出：1月の列で、前提条件で入力したインプットを絶対参照し、あとは12月までコピー&ペーストする
・不定期に発生する収入・支出：SUMIF関数を用いて、指定の月になったときに指定の収入・支出が発生する計算式を作り、12月までコピー&ペーストする
・キャッシュフロー：上記収入・支出を合計する
・月初現金：1月だけ前提条件にリンクさせ、2月以降は前月の期末にリンクさせる
・月末現金：月初現金＋キャッシュフロー

図表3-19 予測表の枠を計算式で埋める

	A	B	C
1			
2	予測家計簿		
3	万円		
4			
5	定期的に発生する収入・支出		金額
6	収入		30
7	家賃		-10
8	食費		-8 ①
9	変更不可その他支出		-4
10	変更可能その他支出		-4
11			
12	不定期に発生する収入・支出		金額 メモ
13	3月		-30 学費
14	8月		-30 学費
15	6月		30 ボーナス
16	12月		-20 家族旅行
17	12月		30 ボーナス ②
18			
19	その他		
20	月初の手許現金		15 ③
21			
22	月	1月の列に入力する計算式	2月の列に入力する計算式
23	収入	=$B$6	1月をコピペ
24	家賃	=$B$7	1月をコピペ
25	食費	=$B$8	1月をコピペ ①
26	変更不可その他支出	=$B$9	1月をコピペ
27	変更可能その他支出	=$B$10	1月をコピペ
28	不定期収入・支出	=SUMIF($A$13:$A$17,B22,$B$13:$B$17)	1月をコピペ ②
29	キャッシュフロー	=SUM(B23:B28)	1月をコピペ
30			
31	月初現金	=B20	=B32
32	月末現金	=B29+B31	1月をコピペ ③
33			

　このように計算式を組めば、結果として、インプット項目以外は計算式だけでできた予測家計簿を作成することができます。次のような計算結果にな

D

①定期的な項目は絶対参照を1月につなげあとは12月までコピー&ペーストする

②SUMIF関数を用いて、指定の月になったときに指定の収入・支出が発生する計算式を作り、12月までコピー&ペーストする

③月初現金は1月だけ前提条件、2月以降は前月期末にリンク

3月の列に入力する計算式	説明
1月をコピペ	絶対参照をして前提条件とリンク
1月をコピペ	絶対参照をして前提条件とリンク
1月をコピペ	絶対参照をして前提条件とリンク
1月をコピペ	絶対参照をして前提条件とリンク
1月をコピペ	絶対参照をして前提条件とリンク
1月をコピペ	現在の月に不定期支出・収入があれば計算
1月をコピペ	上記収入・支出の合計
2月をコピペ	1月だけは前提条件参照、次からは前期末現金を参照
1月をコピペ	月初手元＋キャッシュフロー

るか、自分で手を動かして確認してみてください。

図表3-20 予測家計簿

予測家計簿
万円

定期的に発生する収入・支出	金額
収入	30
家賃	-10
食費	-8
変更不可その他支出	-4
変更可能その他支出	-4

不定期に発生する収入・支出	金額	メモ
3月	-30	学費
8月	-30	学費
6月	30	ボーナス
12月	-20	家族旅行
12月	30	ボーナス

その他
月初の現金	15

月	1月	2月	3月	4月	5月
収入	30	30	30	30	30
家賃	-10	-10	-10	-10	-10
食費	-8	-8	-8	-8	-8
変更不可その他支出	-4	-4	-4	-4	-4
変更可能その他支出	-4	-4	-4	-4	-4
不定期収入・支出	0	0	-30	0	0
キャッシュフロー	4	4	-26	4	4
月初現金	15	19	23	-3	1
月末現金	19	23	-3	1	5

■ 作成したモデルからわかること

どうやらこのままだと、3月にお金が3万円足りなくなってしまうようです。こういった事態を避けるには、1〜3月までにお小遣い等の支出を絞る、学費の支払いを分割にさせてもらう、等の手立てが必要です。実際に、家族会議を開いて、青字の数値をあれこれと変更してみながら、どうするかを話しあえばよいでしょう。

	6月	7月	8月	9月	10月	11月	12月
	30	30	30	30	30	30	30
	-10	-10	-10	-10	-10	-10	-10
	-8	-8	-8	-8	-8	-8	-8
	-4	-4	-4	-4	-4	-4	-4
	-4	-4	-4	-4	-4	-4	-4
	30	0	-30	0	0	0	10
	34	4	-26	4	4	4	14
	5	39	43	17	21	25	29
	39	43	17	21	25	29	43

　ここまでをお読みいただいて、「計算式で組まれたモデルは『論理的に必然な結論』を教えてくれるので、様々な分析を通じて事象を深く理解し、アクションにつなげることができる」と言っていた意味がわかっていただけたでしょうか。

　簡単なモデルであれば、どんな人でもちょっと時間を費やせば作ることができます。そして「様々な前提条件から成り立つ将来」について考える必要がある場合には、きっと役に立つでしょう。

第3章のまとめ

- モデルとは、「何らかのインプット（前提条件）を入力すれば、それに対応するアウトプット（結果）が出てくる表」のこと
- 計算式で組まれたモデルは「論理的に必然な結論」を示してくれるという性質を持っている。よって、モデルを組むことにより、物事をより深く理解し、将来のためのアクションにつなげることができる
- モデル作りの知識は、身体知、すなわち身体で覚える知識であるため、自分で手を動かすこと、繰り返し行うことを通じてマスターすることができる
- モデルにおいては、インプット（前提条件の数字）とアウトプット（数式）を分けることが重要。「インプットの数字は青でベタ打ち、アウトプット（計算式）は黒」というのが世界共通のルール。大きなモデルであれば、インプットなどの別シートや別セクションからのリンクは緑にすることも多い
- モデルで将来予測を作成するときの手順は、前提条件を書き出す→予測表の枠を作る→予測表を計算式だけで埋めていく、の3ステップ

第4章

本格的に
財務モデルを組む

第3章では、モデルの仕組みと簡単なモデルの作り方について書いてきました。第4章からは少し上級編となり、実際に実務で用いるものの一歩手前の、本格的な財務モデルの組み方を説明していきます。
実際に例を用いて財務モデルを作ってみましょう。問題例には、実際の仕事内容をイメージしやすい飲食店を用いました。

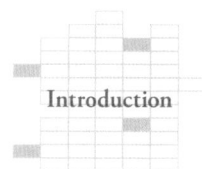

Introduction イントロダクション

　この章で作成するモデルは、実務では初期的な分析に用いられる程度の簡易版ですが、ここでお話しする内容が理解できれば、実際の仕事で作る複雑な財務モデルの作成にも対応できるようになるでしょう。

　これまでの章と違い、会計の基本的な知識がない方にとって、本章は少し難しく感じられるかもしれません。可能な限りわかりやすく書きますが、場合によっては会計の参考書も手元に置き、頑張って読み進めてください。

　なお、ここでの主眼はExcelでの財務モデル作りですので、会計上の厳密さを欠いている場合があることにご留意ください。

　では、はじめましょう。

問題
109～110ページのデータは、ある架空のレストランチェーンにおける財務実績を示したものです。このデータを用いて、主要な財務指標を前提条件とし、将来5年分にわたる財務予測を作成してください。なお、前提条件以外の数値は、すべて必ず計算式にしてください。（データのExcelファイルはダウンロードが可能です→ https://str.toyokeizai.net/books/9784492557310/）

決算期 実績／予測 日数	5年前 実績 365	4年前 実績 366	3年前 実績 365	2年前 実績 365	去年 実績 365	今年 実績 366
KPI						
新規出店／年	N/A	38	43	58	79	98
退店／年	N/A	16	9	9	25	32
店舗数	400	422	456	505	559	625
客数（千人）	N/A	53,209	55,168	62,381	64,351	67,762
従業員数	2,603	2,854	3,136	3,750	4,136	4,592
設備投資総額（百万円）	N/A	1,843	2,753	2,840	3,131	5,767
新規出店設備投資	N/A	1,118	1,919	2,222	2,880	3,539
改修	N/A	645	692	393	40	1,124
その他設備投資	N/A	80	142	225	211	1,104
損益計算書（百万円）						
売上高合計	N/A	49,045	50,993	57,423	57,654	60,180
食品原価	N/A	17,415	17,465	18,496	18,717	19,931
人件費	N/A	10,971	13,244	14,806	15,755	16,795
賃借料	N/A	7,540	7,658	7,985	8,262	8,612
減価償却費	N/A	1,430	1,555	1,745	2,063	2,295
その他費用	N/A	1,269	632	772	468	1,012
税前利益	N/A	10,420	10,439	13,619	12,389	11,535
税金	N/A	4,393	4,079	5,380	4,615	4,824
当期純利益	N/A	6,027	6,360	8,239	7,774	6,711

第 4 章 ｜ 本格的に財務モデルを組む　109

決算期	5年前 実績	4年前 実績	3年前 実績	2年前 実績	去年 実績	今年 実績
実績／予測	実績	実績	実績	実績	実績	実績
日数	365	366	365	365	365	366
貸借対照表（百万円）						
現金・現金等価物	6,918	13,258	25,280	28,827	32,089	35,116
売上債権	268	348	304	392	466	532
棚卸資産	2,270	1,946	2,005	2,126	2,282	2,336
その他流動資産	N/A	1,433	1,095	1,682	1,919	1,947
固定資産合計	19,980	20,393	21,591	22,686	23,754	27,226
資産合計	N/A	37,378	50,275	55,713	60,510	67,157
買入債務	1,802	1,992	1,914	2,005	2,197	2,197
短期借入金	0	0	3,142	3,146	864	1,155
長期借入金	0	0	4,001	954	90	957
その他	N/A	956	957	1,637	2,143	1,444
純資産合計	28,943	34,430	40,261	47,971	55,216	61,404
負債・純資産合計	N/A	37,378	50,275	55,713	60,510	67,157
キャッシュフロー（百万円）						
当期純利益	N/A	6,027	6,360	8,239	7,774	6,711
減価償却費/のれん償却費	N/A	1,430	1,555	1,745	2,063	2,295
運転資本の増減	N/A	434	(93)	(118)	(38)	(120)
設備投資	N/A	(1,843)	(2,753)	(2,840)	(3,131)	(5,767)
借入金の増減	N/A	0	7,143	(3,043)	(3,146)	1,158
支払配当金	N/A	(540)	(529)	(529)	(529)	(523)
その他	N/A	832	339	93	269	(727)
現金及び現金同等物の増減	N/A	6,340	12,022	3,547	3,262	3,027
期末現預金	6,918	13,258	25,280	28,827	32,089	35,116

Point 1 財務モデル作成の3ステップ

実績値を手に入れた状態

109〜110ページの実績データは、分析対象とする会社の財務実績値です。たいていの場合この時点では、すべての数字はベタ打ちのままです。

この状態の損益計算書を図にすると図表4-1のように表現することもできます。売上からすべての費用を差し引いた結果である税前利益から支払われた税金を引いたものが会社の当期利益になっています。また図表4-1では、プラス項目である売上とマイナス項目である費用を分けています。

図表4-1　ステップ0：手元にある実績値

青字：値（既知）
黒字：数式

```
当期利益 ─ 税前利益 ─ 売上
         │         └─ 費用 ─ 食品原価
         │                 ├─ 人件費
         │                 ├─ 賃借料
         │                 │  減価償却
         └─ 税金            └─ その他費用
```

第4章｜本格的に財務モデルを組む　111

■ 作成ステップ① 財務三表を連動させ、実績値が整合しているか確認する

　財務モデル作成における、作業の全体像をお伝えしておきましょう。財務モデルは次の3つのステップによって作られます。

①財務三表を連動させ、実績値が整合しているか確認する
②実績値から重要業績評価指標（KPI：Key Performance Indicator）を求め、経営分析をする
③KPIを前提条件として将来財務諸表を作成する

　第1のステップでは、ベタ打ちの過去データのうち、数式に変えられるものを数式に変えていき、過去データにおいてBS（貸借対照表）、PL（損益計算書）、CF（キャッシュフロー計算書）という会社の財務状況を示す財務三表がきちんと連動していることを確認します（このステップは省略される場合もあります）。

図表4-2　ステップ1：実績値を値と式に分解して実績値を確認する

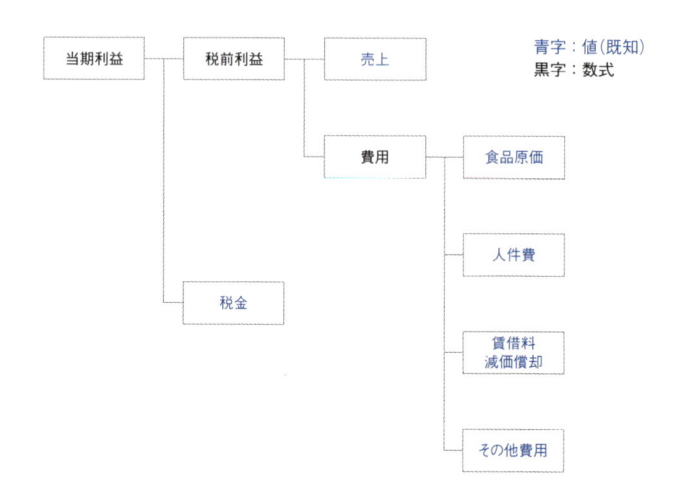

```
当期利益 ─ 税前利益 ─┬─ 売上
                    │
                    └─ 費用 ─┬─ 食品原価
                            │
                            ├─ 人件費
                            │
                            ├─ 賃借料
                            │   減価償却
                            │
                            └─ その他費用
         └─ 税金

青字：値（既知）
黒字：数式
```

■ 作成ステップ② 実績値から重要業績評価指標を求め、経営分析をする

　次のステップで行うことは、実績値をKPIに分解していくことです。このKPIは将来財務諸表を作成する際の前提条件となります。

　図表4-3に示されているように、売上は「店舗あたり売上×店舗数」に、さらに店舗あたり売上は「店舗あたり顧客数×客単価」に、店舗数は「去年の店舗数＋新規出店数－退店数」に分解することができます。この、店舗あたり売上の中の「顧客数」「客単価」をはじめとした各種指標のことをKPIといいます。例題の「主要指標」セクションに最初から示されている項目もKPIの1つですが、これだけでは将来予測を作成するには足りないので、このステップで付け足すことになります。

　KPIは分析対象とする会社のビジネスの性質により異なります。レストランチェーンのような業態であれば、図表4-3で示したような顧客数や客単価などがKPIになりますが、ホテル運営業であれば稼働率や室料、部屋数などがKPIになるでしょう。

　実績値をKPIに分解することを通じて、実績値において示されている財務数値の変化がどういった要因によって生じたのかがより立体的に分析できるようになります。たとえば、売上の変化一つをとっても、それが店舗数増によるものなのか、店舗あたりの来客数が増えたためなのか、客単価が増大したためなのか、といったふうに分析ができるようになります。

　また、KPIの設定は将来予測にも欠かせません。将来の予測を単に売上がX%増大するというように表現するのではなく、KPIの増減によって表現することによって、将来予測がより説明しやすくなるとともに、将来予測を達成するための具体的なアクションも浮き彫りになるからです。

図表4-3　ステップ2：実績値を各重要業績評価指標（KPI）にブレークダウンして分析する

すでにわかっている項目を、より細かい項目に分解していく →

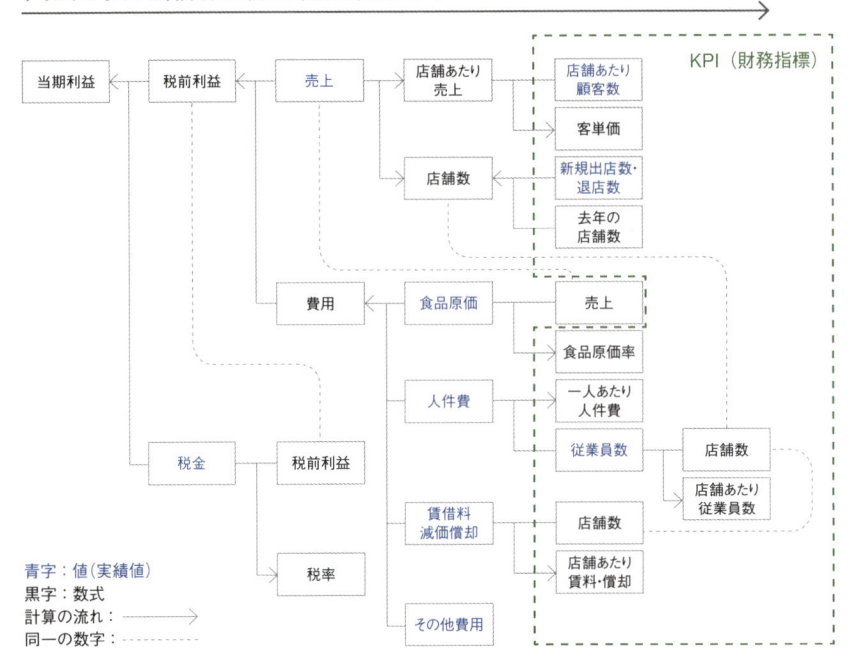

```
当期利益 ─ 税前利益 ─ 売上 ─┬─ 店舗あたり売上 ─┬─ 店舗あたり顧客数    ┐
                              │                    └─ 客単価              │ KPI（財務指標）
                              └─ 店舗数 ─┬─ 新規出店数・退店数           │
                                          └─ 去年の店舗数                 │
                    費用 ─┬─ 食品原価 ─┬─ 売上                           │
                          │              └─ 食品原価率                    │
                          ├─ 人件費 ─┬─ 一人あたり人件費                 │
                          │            └─ 従業員数 ─┬─ 店舗数            │
                          │                          └─ 店舗あたり従業員数│
                          ├─ 賃借料減価償却 ─┬─ 店舗数                   │
                          │                    └─ 店舗あたり賃料・償却   │
                          └─ その他費用                                   ┘
          ─ 税金 ─ 税前利益
                   税率
```

青字：値（実績値）
黒字：数式
計算の流れ：→
同一の数字：

作成ステップ③KPIを前提条件として将来財務諸表を作成する

　このようにして、実績値をKPIに分解し終えたら、次はKPIを前提条件として将来予測財務諸表を作成していきます。具体的には、KPIをインプット項目（値）として、残りの数値がすべて計算式で求められるように将来の財務数値予測を作成していくのです。このステップをすべて終えると、分析対象としている会社の将来の財務諸表（予測財務諸表）が完成することになります。

図表4-4　ステップ3：KPIと計算式だけで将来財務諸表を作成する

実績値の分析で求められたKPIをもとに、将来の財務数値を作りあげていく

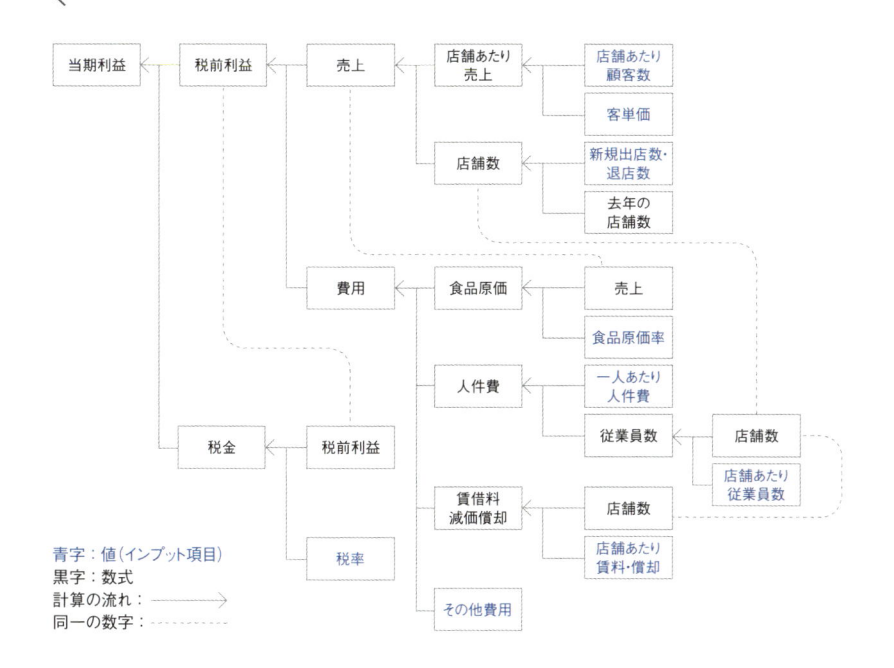

[図：将来財務諸表の構成要素と計算フロー]

- 当期利益 ← 税前利益 ← 売上 ← 店舗あたり売上 ← 店舗あたり顧客数、客単価
- 店舗数 ← 新規出店数・退店数、去年の店舗数
- 費用 ← 食品原価 ← 売上、食品原価率
- 人件費 ← 一人あたり人件費、従業員数 ← 店舗数、店舗あたり従業員数
- 賃借料・減価償却 ← 店舗数、店舗あたり賃料・償却
- その他費用
- 税金 ← 税前利益、税率

青字：値（インプット項目）
黒字：数式
計算の流れ：——→
同一の数字：······

完成した財務モデルから何がわかるか

　こうして作られた財務モデルでは、たとえば出店数を1つ変えただけで、それは店舗数を変化させ、売上を変化させることになります。それだけでなく、店舗数や売上は費用項目にもリンクしているので、費用も変化させ、税前利益も変化させます。結果的に、税額も変化するので、当期利益も変化することになっていきます。こういったPLの変化だけでなく、BSやCFも同様に連動していくことになります。

図表4-5　1つのインプットを変えるだけでアウトプットが連動して変わっていく

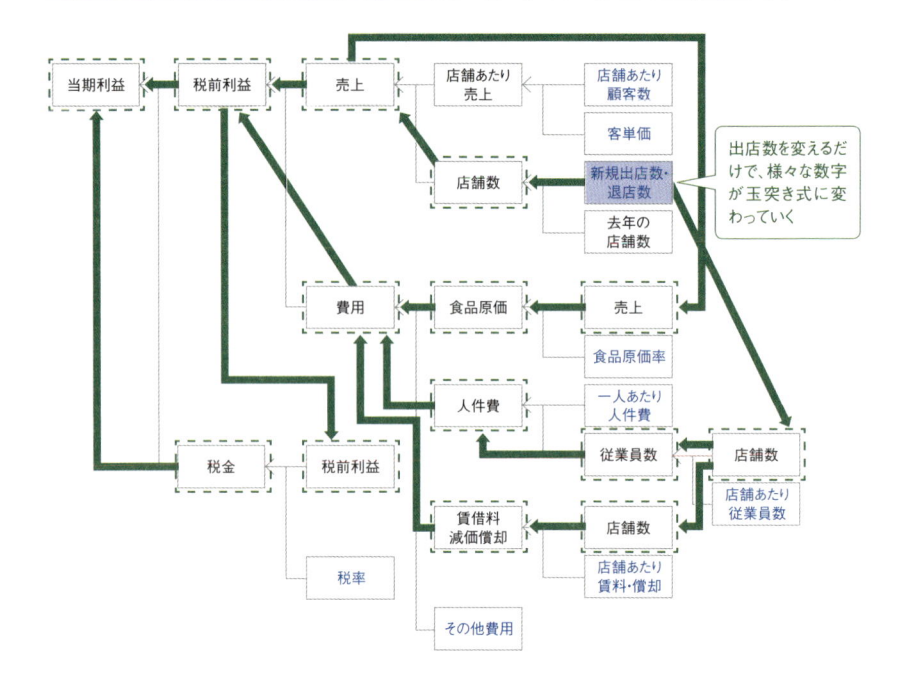

```
当期利益 ← 税前利益 ← 売上 ← 店舗あたり売上 ← 店舗あたり顧客数
                                              ← 客単価
                       ← 店舗数 ← 新規出店数・退店数
                               ← 去年の店舗数

                  費用 ← 食品原価 ← 売上
                                 ← 食品原価率
                       ← 人件費 ← 一人あたり人件費
                               ← 従業員数 ← 店舗数
                                         ← 店舗あたり従業員数
                       ← 賃借料減価償却 ← 店舗数
                                       ← 店舗あたり賃料・償却
                       ← その他費用

     税金 ← 税前利益
          ← 税率
```

出店数を変えるだけで、様々な数字が玉突き式に変わっていく

　以上が、これからやる財務モデル作成の、一連の作業の全体像です。これからこの本を読み進めていくうちに、自分が何をしているのかがわからなくなったら、この全体像の説明に戻って確認してみてください。

STEP①
実績値を値と式に分け整合性を確認する

Point 2

　ここから実際のモデル作りの手順について具体的に説明します。ここが本書の最大の難所です。途中の息抜きのためのコラムを除き 20 ページほどありますので、PC を開いて実際に作業しながらゆっくり読み進めてください。

■ 実績値を値と数式に分ける

　では始めましょう。モデルの基になる過去データを手に入れたら、まずやることは、過去データ（すなわち実績値）の確認です。手元にある過去データはすべて値だけになっていますが、これを値と数式で構成し直すことにします。すなわち、合計値をはじめとする、他の実績値から計算して導けるものを数式に変えていくのです。たとえば、税引前利益は売上から各種費用をすべて除けば求められるはずですので、税引前利益を「売上−各種費用」という数式に変更します。

　「過去のデータをわざわざ値と数式に分ける必要は無いのではないか」と思う人がいるかもしれません。しかし後で明らかになるように、この作業をこのタイミングでやっておくことは決してムダにならないのです。理由は二つあります。

　まず、過去の数値が間違っていないかの確認をする必要があるからです。財務諸表はすべてルールに則って作成されているので、手元にある実績値のデータを値と数式に組み替えても数値そのものは変わらないはずです。もし変わってしまうのであれば、そこで行われている計算か、実績値そのもののどちらかが間違っていることになります。実績の数値が間違っているのは、特に事業を始めたばかりの企業であれば思ったより頻繁に起こります。誤っ

た実績値を用いて将来予測を作っても、それは最初から誤った予測になってしまいますので、データを受領したタイミングでその正しさを確認しておくことは決してムダではないのです。

　もうひとつの理由は、ここで作成した数式は、将来財務諸表を作成する際に、そのまま将来に引き伸ばして使い続けることができるからです。ならば、このタイミングでやっておいたほうが都合がよいわけです。

過去実績のKPIを値と数式に直す

　それでは過去実績のKPIを値と数式に直すことから始めていきましょう。

　出店や退店の数値は数式に変えようがないので、値のままとしておきます。それと同時に、第3章でお話したように、これらの数値は青字にします。「値＝青字」としておくことで、後で作業をするときに、カーソルを合わせなくてもそのセルが値か計算式かがわかるようにするためです。

　一方で店舗数は「今年の店舗数＝去年の店舗数＋新規出店数－退店数」で計算することができますので、そのような数式に直します。初年度の店舗数だけは数式にしようがないので青字のままとしておきます。

　客数と従業員数、設備投資の内訳も値のままにして色を青字に変えます。そして設備投資総額だけは内訳の項目の合計としての数式に直します。

図表4-6　過去実績のKPIを値と数式に直す【Before】

決算期 実績／予測 日数	5年前 実績 365	4年前 実績 366	3年前 実績 365	2年前 実績 365	去年 実績 365	今年 実績 366
KPI						
新規出店／年	N/A	38	43	58	79	98
退店／年	N/A	16	9	9	25	32
店舗数	**400**	**422**	**456**	**505**	**559**	**625**
客数（千人）	N/A	53,209	55,168	62,381	64,351	67,762
従業員数	2,603	2,854	3,136	3,750	4,136	4,592
設備投資総額（百万円）	**N/A**	**1,843**	**2,753**	**2,840**	**3,131**	**5,767**
新規出店設備投資	N/A	1,118	1,919	2,222	2,880	3,539
改修	N/A	645	692	393	40	1,124
その他設備投資	N/A	80	142	225	211	1,104

図表4-7　過去実績のKPIを値と数式に直す【After】

計算式は黒字にする

KPI						
新規出店／年	N/A	38	43	58	79	98
退店／年	N/A	16	9	9	25	32
店舗数 =去年の店舗数＋新規出店－退店	400	422	456	505	559	625
客数（千人）	N/A	53,209	55,168	62,381	64,351	67,762
従業員数	2,603	2,854	3,136	3,750	4,136	4,592
設備投資総額（百万円） =3つの合計	N/A	1,843	2,753	2,840	3,131	5,767
新規出店設備投資	N/A	1,118	1,919	2,222	2,880	3,539
改修	N/A	645	692	393	40	1,124
その他設備投資	N/A	80	142	225	211	1,104

■ PL（損益計算書）を値と数式で再構成する

　次は損益計算書です。こちらはシンプルで「税前利益＝売上－全費用」なので、税前利益については数式に直します。同様に、当期純利益も「税前利益－税金」なので、それを反映します。

　また、おまじないのようなものですが、当期純利益の下に利益率（マージン）を示しておきましょう。財務諸表のセクションに利益率のような項目を入れる際には、パッと見たときに混同しないように斜体にしておきます。

図表4-8　過去実績のPLを値と数式に直す【After】

決算期 実績／予測 日数		5年前 実績 365	4年前 実績 366	3年前 実績 365	2年前 実績 365	去年 実績 365	今年 実績 366
損益計算書（百万円）							
売上高合計		N/A	49,045	50,993	57,423	57,654	60,180
食品原価		N/A	17,415	17,465	18,496	18,717	19,931
人件費		N/A	10,971	13,244	14,806	15,755	16,795
賃借料		N/A	7,540	7,658	7,985	8,262	8,612
減価償却費		N/A	1,430	1,555	1,745	2,063	2,295
その他費用		N/A	1,269	632	772	468	1,012
税前利益 =売上－全費用		N/A	10,420	10,439	13,619	12,389	11,535
税金		N/A	4,393	4,079	5,380	4,615	4,824
当期純利益 =税前利益－税金		N/A	6,027	6,360	8,239	7,774	6,711
マージン=当期純利益÷売上高		*N/A*	*12.3%*	*12.5%*	*14.3%*	*13.5%*	*11.2%*

第4章｜本格的に財務モデルを組む

■ BS（貸借対照表）とCF（キャッシュフロー計算）を値と数式で再構成する

さて、次は貸借対照表とキャッシュフロー計算[*4]です。ここが財務三表を作るときに一番苦労するところです。というのも、両者はお互いのうちにある項目を参照しながら作成されるためです。最初の関門ですので、ゆっくりと読み進めてください。

作成における原則は単純明快です。次の要領で計算をしていきましょう。

1) BSの項目のうち、現金以外をすべて完成させる
2) CFを作成し、期末の現預金を計算する
3) そうして求められた現預金をBSにリンクさせる

1) BSの項目のうち、現金以外をすべて完成させる

まずBSを作りましょう（図表4-9）。

現預金は、今のところは空白にしておきます。

その次にある、売上債権、棚卸資産、その他流動資産は値ですので、青字

図表4-9　BSセクションの再構築

決算期 実績／予測 日数	5年前 実績 365	4年前 実績 366	3年前 実績 365	2年前 実績 365	去年 実績 365	今年 実績 366
貸借対照表（百万円）						
現預金＝あとでCF計算の数値とリンク	6,918					
売上債権	268	348	304	392	466	532
棚卸資産	2,270	1,946	2,005	2,126	2,282	2,336
その他流動資産	N/A	1,433	1,095	1,682	1,919	1,947
固定資産＝去年＋設備投資－減価償却	19,980	20,393	21,591	22,686	23,754	27,226
資産合計＝資産全ての合計	N/A	37,378	50,275	55,713	60,510	67,157
買入債務	1,802	1,992	1,914	2,005	2,197	2,197
短期借入金	0	0	3,142	3,146	864	1,155
長期借入金	0	0	4,001	954	90	957
その他	N/A	956	957	1,637	2,143	1,444
純資産合計＝去年＋当期純利益－配当	28,943	34,430	40,261	47,971	55,216	61,404
負債・純資産合計＝全負債＋純資産	N/A	37,378	50,275	55,713	60,510	67,157
バランスチェック＝資産－負債・純資産		0	0	0	0	0

[*4] 本書の例題の数値は会計で用いる「キャッシュフロー計算書」というにはあまりにも簡素なので、そう呼ばずに、「キャッシュフロー」と呼んでいます。

にします。固定資産は、今期の固定資産合計＝昨期の固定資産合計＋設備投資－減価償却として計算することができますので、そのような計算を行う数式に変更します。資産合計は、これら資産を合計したものですので、同様に数式に変更します。

　負債・純資産の欄については、純資産合計を除き、すべて値のまま青字とします。純資産は、「今期の純資産＝昨期の純資産＋今期の当期純利益－今期の配当（キャッシュフロー計算にあります）」ですので、そのように計算します。

　最後に、バランスチェックのための計算として、資産合計から負債および純資産合計を引いたものを入れておきます。貸借対照表は英語でバランスシートと呼ばれますが、その名の通り資産合計と負債・純資産合計は一致するので、バランスチェック欄の数値はゼロになるはずです。ならないとすれば、何かがおかしいということなので、データそのものの正しさを検証する必要も出てきます。なお「バランスしないバランスシート」の対応方法については、第6章で取り上げています。

2）CFを作成し、期末の現預金を計算する

　では次に、キャッシュフローを数式によって再構成していきましょう。キャッシュフローは、(a)「損益計算書上の損益から、現金支出を伴わないものを足し戻すこと」と (b)「損益計算書に反映されない理由により生じるキャッシュフローの変動を織り込むこと」の2つの計算を行うことによって求めることができます。

　まず、損益計算書上に掲載される項目に関連したキャッシュフローを計算しましょう。一つめは当期純利益ですが、この数字は損益計算書の当期純利益の数字と同じものですので、そちらにリンクさせます。次に、減価償却費とのれん償却費は実際の現金支出を伴わない項目ですので、[*5] これら項目を

[*5] たとえば建物を買うときは、買ったタイミングではPLに反映されず、キャッシュが減ると同時に、同額の資産が計上されます。その後、減価償却費としてPLに反映されてきますが、実際の現金支出はすでに終了しており、将来に現金支出は生じません。

足し戻す数式に変更します。[*6]

次に、損益計算書に反映されない理由によるキャッシュ変化について見ていきましょう。

まずは運転資本の増減です。ここが慣れるまでには少しややこしいところです。売上債権や棚卸資産（在庫）のような流動資産が昨期に比べて増えたということは、他の条件が同じであれば、その分手元の現金が減っているということを意味しています。というのも、たとえば在庫が増えているということは、その分だけお金を支払って商品を買ったということだからです。

逆に、買入債務などの流動負債が昨期に比べて増えたということは、その分手元にある現金が増えているということです。というのも、取引先に「1カ月後に100万円払うよ」という約束をすれば、それだけ買入債務が増しますが、それは本来今すぐ払う予定だった100万円が手元に残る（すなわち現金が増える）ということでもあるからです。すなわち、運転資本の増減に伴うキャッシュ増減は次のように計算されます。これを、数式に反映させることになります。

運転資本の増減による現金増（減）
＝ 流動資産の減少（増加）額
　＋ 流動負債の増加（減少）額

よって今回の例では、次のような計算を行います。

＝ －（今期の売上債権－昨期の売上債権）
　－（今期の棚卸資産－昨期の棚卸資産）
　＋（今期の買入債務－昨期の買入債務）

さらに残りの部分を進めましょう。設備投資は、主要指標セクションにあ

[*6] なお、本来はこの他にもPL由来のキャッシュ項目があるのですがここでは省略しています。

る「設備投資総額」とリンクさせます。[*7]

　借入の増減は、「今期の借入残高−去年の借入残高」として求められます。借金すればするだけ、手元にあるお金は増えるからです。よって、そのような計算を行う数式に組み替えます。

　支払配当金、その他キャッシュ増減は値のままにして、青字にします。

　これら計算を行うと、その合計として今期の現預金の増減が計算されることになります。そして、「昨期の現預金＋今期の現預金増減＝今期の現預金」ということになり、ついに今期の現預金を、数式で再構成させることができました。

3）そうして求められた現預金をBSにリンクさせる

　そして、このキャッシュフロー計算で求められた毎期末の現預金を、BSにリンクさせることにより、ついにPL、BS、CF計算がすべてつながることになります（図表4−11）。

　三表がはじめてリンクするのは、ちょっとした感動を味わえる体験でもあります。是非、自分で手を動かして、ここまでの過程を体験してみてください。

図表4-10　CFセクションの再構成

決算期 実績／予測 日数		5年前 実績 365	4年前 実績 366	3年前 実績 365	2年前 実績 365	去年 実績 365	今年 実績 366
キャッシュフロー（百万円）							
当期純利益	＝損益計算書の数値とリンク	N/A	6,027	6,360	8,239	7,774	6,711
減価償却費	＝同上	N/A	1,430	1,555	1,745	2,063	2,295
運転資本の増減	＝債権（増）減＋債務増（減）	N/A	434	(93)	(118)	(38)	(120)
設備投資	＝主要指標の数値とリンク	N/A	(1,843)	(2,753)	(2,840)	(3,131)	(5,767)
借入の増減	＝今期の残高−去年の残高	N/A	0	7,143	(3,043)	(3,146)	1,158
支払配当金		N/A	(540)	(529)	(529)	(529)	(523)
その他		N/A	832	339	93	269	(727)
現金及び現金同等物の増減	＝上記合計	N/A	6,340	12,022	3,547	3,262	3,027
期末現預金	＝去年残高＋今期変化額	6,918	13,258	25,280	28,827	32,089	35,116
バランスチェック	＝貸借対照表の現預金−計算結果		0	0	0	0	0

[*7]　ここでは、主要指標セクションの設備投資も支払ベースのものと仮定しています。支出ベースと計上ベースではかなり数値が異なることがあるので、実際の仕事でモデルを作るときには注意が必要です。

図表4-11　CFセクションで求められた現預金をBSセクションにつなげる

決算期 実績／予測 日数		5年前 実績 365	4年前 実績 366	3年前 実績 365	2年前 実績 365	去年 実績 365	今年 実績 366
貸借対照表（百万円）							
現預金	=CF計算の数値とリンク		13,258	25,280	28,827	32,089	35,116
売上債権		268	348	304	392	466	532
棚卸資産		2,270	1,946	2,005	2,126	2,282	2,336
その他流動資産		N/A	1,433	1,095	1,682	1,919	1,947
固定資産		19,980	20,393	21,591	22,686	23,754	27,226
資産合計		N/A	37,378	50,275	55,713	60,510	67,157
買入債務		1,802	1,992	1,914	2,005	2,197	2,197
短期借入金		0	0	3,142	3,146	864	1,155
長期借入金		0	0	4,001	954	90	957
その他		N/A	956	957	1,637	2,143	1,444
純資産合計		28,943	34,430	40,261	47,971	55,216	61,404
負債・純資産合計		N/A	37,378	50,275	55,713	60,510	67,157
バランスチェック			0	0	0	0	0

■ 実務において財務三表の実績値を将来予測でしか連動させない理由

　但し書きを一つ。本書では、教科書的に実績にデータを値と式に分解し、財務三表を連動させました。しかし、実務で財務三表を計算式を用いて連動させるのは多くのケースにおいて将来予測セクションのみです。

　なぜ実務において財務三表実績を連動させないかというと、実務で見るような細かい過去数値を用いると、三表を連動させるのは非常に骨が折れる作業だからです。本書で三表を比較的簡単に連動させることができたのは、簡単な数値例を用いているためです。

　財務三表の実績値を計算式によって連動させることの最大のメリットは、変な実績値を発見しやすくなることです。しかしながら、対象となる企業の財務実績がきちんとした会計監査を受けているものであれば、そのメリットすらも限定的になります。そういったこともあり、投資の実務では過去数値はベタ打ちのままにしておき、将来予測からここで用いたような数式での連動を行うことが少なくありません。

STEP②
実績値からKPIを求め、経営分析をする

Point 3

■ KPIを求める2つの目的

　主要指標と財務三表について、実績値を値と数式で再構成し、実績値が間違いなくフローしていることが確認できたら、その次には実績値から各種KPIを求めていきます。KPIを求めることの目的は、(1) 過去の財務数値がどのような要因によって生じたかをより立体的に理解すること、(2) KPIを前提条件として将来予測を作成するための準備をすること、の二つです。まずは、第一の目的である、事業の立体的な理解について説明しましょう。

　たとえば、図表4-12は売上をKPIで細分化させたものです。

　売上の変化ひとつとっても、単に「売上がX%伸びた」というだけでは何も見えてきませんが、これをより多くの要素に分解することにより、「売上増については、店舗あたり客数が最も売上増に貢献し、次に貢献したのは店舗数が増えたことである」ということがわかるようになります。このように、財務実績をKPIに分解することにより、過去の財務実績がどのような要因によって変化したのかがより立体的に理解できるようになります。

　また、実績値をKPIに分解することは、将来財務諸表を作成する上でも必要になります。将来財務諸表はKPIをインプットとして作成することになりますが、実績をKPIに分解することによって、将来KPIとして用いる数字の参照点を得られるようになります。

　では、目的を確認したところで、実際の作業に移りましょう。元のデータでは「KPI」のセクションに僅かなKPIしかありませんでしたが、ここから多くのKPIを追加していきます。なお、何がKPIになるかは業態によって異なります。今回の例で対象としている会社はレストランチェーン経営をし

ているのでそれに応じたKPIを設定していますが、他の業態であればこれもまた異なってきます。

図表4-12 KPIに分解することで事業を立体的に理解できる

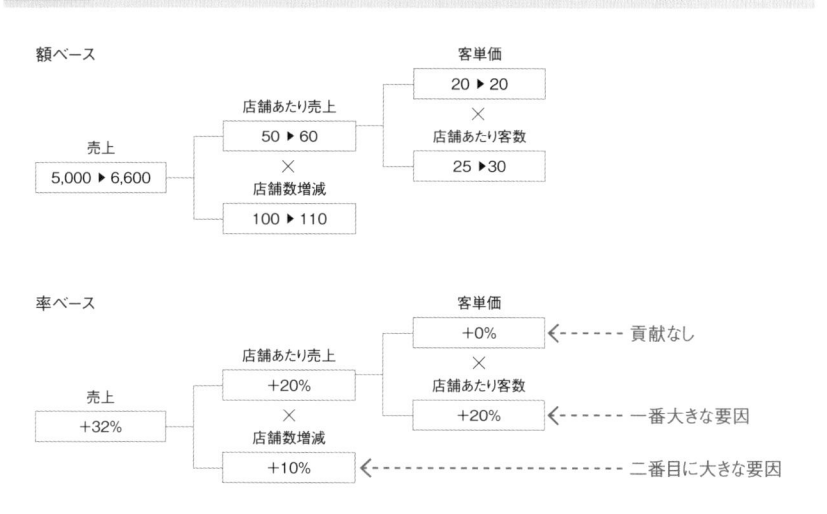

額ベース

売上 5,000 ▶ 6,600
　店舗あたり売上 50 ▶ 60
　　客単価 20 ▶ 20
　　×
　　店舗あたり客数 25 ▶ 30
　×
　店舗数増減 100 ▶ 110

率ベース

売上 +32%
　店舗あたり売上 +20%
　　客単価 +0% ←------ 貢献なし
　　×
　　店舗あたり客数 +20% ←------ 一番大きな要因
　×
　店舗数増減 +10% ←------ 二番目に大きな要因

▌ レストラン経営におけるKPI例①設備投資額

まずは、設備投資のセクションの下に、2つKPIを追加します（図表4-13）。1つは、「新規出店1件あたりの設備投資額（設備投資／新規出店）」、もう1つは、「既存店1店舗あたりの平均改修額（改修／既存店舗）」です。

この指標を入れることにより、単に設備投資額が増えた・減ったという議論ではなく、設備投資が新規出店によって増えたために増加したのか、もしくは地価上昇などにより新規出店のコストそのものが上昇したことによって増加したのかがわかるようになります。

図表4-13 設備投資額のKPI

決算期 実績/予測 日数		5年前 実績 365	4年前 実績 366	3年前 実績 365	2年前 実績 365	去年 実績 365	今年 実績 366
設備投資総額（百万円）		N/A	1,843	2,753	2,840	3,131	5,767
新規出店設備投資		N/A	1,118	1,919	2,222	2,880	3,539
改修		N/A	645	692	393	40	1,124
その他設備投資		N/A	80	142	225	211	1,104
設備投資／新規出店（百万円）	=新店投資額÷出店数		29.4	44.6	38.3	36.5	36.1
改修／既存店舗（百万円）	=改修額÷昨期末店舗数		1.6	1.6	0.9	0.1	2.0

■ レストラン経営におけるKPI例②店舗オペレーション

では、次に店舗のオペレーションに関するKPIを追加しましょう。

まず知るべきKPIは、店舗あたり売上です。これは売上を、期中平均店舗数（すなわち、今期と昨期の店舗数の平均）で割ることによってわかります。店舗あたり売上を計算してみると、この会社の損益計算書上の売上は順調に伸びているものの、それは店舗数の増加によって達成されたものであって、店舗あたり売上は少しずつ減少していることがわかります。

店舗あたり売上をさらに分解していきましょう。「店舗あたり売上＝店舗あたり客数×客単価」ですから、店舗あたり売上の下に、「店舗あたり客数」と「客単価」をKPIとして追加します。「店舗あたり客数」は、「客数÷期中平均店舗数」で得られます。さらに、1日あたりの客数を計算することで、うるう年の影響を排除することができます。「客単価」は、「売上÷客数」によって計算することができます。

こうすることで、店舗あたり売上の低下は、客数と客単価両方の落ち込みによって生じていること、特に「店舗あたり客数」、すなわち稼働率がより大きく落ちていることによって生じていることがわかるようになります。

最後に、人件費関連の指標を見ておきましょう。「1人あたり人件費（人件費÷期中平均従業員数）」と、「店舗あたり従業員数（期末従業員数÷期末店舗数）」を求めると、この会社の店舗あたりの人件費は「一旦2年前にピークを迎え、その後下がっているものの、それは従業員数を維持させなが

ら人件費を低下させることによって達成されたものである」ということがわかってきます。

なお、1人あたり人件費は飲食業においては重要KPIであり、これが下がってきているような場合には、注意が必要です。もし可能であれば、会社の人に低下の理由を聞くのがよいでしょう。1人あたりの人件費の低下の理由が効率的なオペレーションによる残業時間の削減であればよいですが、単に賃金を下げただけであれば、それは長期的には従業員のモチベーション低下、ひいてはサービスの質低下につながり、将来の会社の収益すらも減少させかねません。飲食業はよく「ピープルビジネス」とよばれ、従業員のモチベーションが業績に大きな影響を与えます。

このように、KPIの算出においては、単に機械的な計算をするだけでなく、その裏側にあるビジネスの論理に対しても想像力を働かせてこそ、本当に良いモデルを組めるようになります。

図表4-14 店舗オペレーションのKPI

決算期 実績／予測 日数		5年前 実績 365	4年前 実績 366	3年前 実績 365	2年前 実績 365	去年 実績 365	今年 実績 366
オペレーションに関する財務指標							
売上／店舗数（百万円）	=売上÷平均店舗数＝客単価×店舗あたり客数	119	116	120	108	102
店舗あたり客数／日	=客数÷期中平均店舗数÷日数×1000	354	344	356	331	313
客単価（円）	=売上÷客数×1000	922	924	921	896	888
人件費／店舗数(百万円)	=(人件費／人)×(従業員数／店舗)	27.2	30.4	31.9	29.6	28.3
1人あたり人件費（百万円）	=人件費÷期中平均従業員数	4.0	4.4	4.3	4.0	3.8
従業員数／店舗数（人）	=期末従業員数÷期末店舗数	6.8	6.9	7.4	7.4	7.3

■ レストラン経営におけるKPI例③財務三表関連

オペレーションの指標を見終えたら、次は財務三表に関連するKPIを見ておきましょう。損益計算書では、食品原価率、店舗あたりの賃借料、店舗あたりの減価償却費、税率を求めておきます。

貸借対照表に関するKPIでは、売上債権と棚卸資産が売上に対してどれくらいの比率であるのか、買入債務が食品原価（仕入額）の何％なのかを計

算しておきます。飲食は日銭商売なので、売上がどれくらいすぐに現金化されるのか、在庫がどの程度あるのか、仕入のうちどれくらいは支払を遅らせられるのかなどを見たほうが良いからです。こういった流動資産・負債の動きは、取引関係者らが支払をどのタイミングで行うかによって決まりますが、優良企業であるほど、より有利な支払い条件を勝ち取りやすく、現金収入が通常より前倒し、支払が通常より後ろ倒しになりがちです。

最後に、おまじない程度に自己資本比率も計算しておきましょう。この会社にはほとんど借金がありませんし、流動負債も少ないので、非常に高い自己資本比率となっていることが確認できます。

STEP ①の終盤で見たように、キャッシュフローはPLとBSの動きから計算することができますので、キャッシュフロー計算に固有のKPIは本来無いといっても問題はありません。見方を変えれば、PLとBSのKPIは間接的にはCFのKPIであるともいえるでしょう。たとえば設備投資額などは、BSの固定資産額を増加させるとともに、設備投資としてキャッシュフローを減少させる、というようにBSとCFの両方に影響を与えます。

以上でKPIの設定はおしまいです。次からは、KPIを前提条件にして将来予測を作成していきます。

図表4-15 財務三表のKPI

決算期 実績/予測 日数		5年前 実績 365	4年前 実績 366	3年前 実績 365	2年前 実績 365	去年 実績 365	今年 実績 366
損益計算書に関する財務指標							
原価率(%)=食品原価÷売上高		35.5%	34.2%	32.2%	32.5%	33.1%	
賃借料／店舗（百万円）=賃借料÷期中平均店舗数		18.3	17.4	16.6	15.5	14.5	
減価償却費／店舗（百万円）=償却費÷期中平均店舗数		3.5	3.5	3.6	3.9	3.9	
税率(%)=税金÷税引前当期純利益		42.2%	39.1%	39.5%	37.3%	41.8%	
貸借対照表に関する財務指標							
売上債権／売上(%)=売上債権÷売上		0.7%	0.6%	0.7%	0.8%	0.9%	
棚卸資産／売上(%)=棚卸資産÷売上		4.0%	3.9%	3.7%	4.0%	3.9%	
買入債務／食品原価(%)=買入債務÷食品原価		11.4%	11.0%	10.8%	11.7%	11.0%	
自己資本比率(%)=純資産÷総資産 or 純資産÷資本＆負債		92.1%	80.1%	86.1%	91.3%	91.4%	

Column 5　モデル作業に疲れたときには気晴らしを

　実務で用いるモデルの作成には数十時間を要することもあります。集中力が切れたら、途中で気晴らしをすることも必要です。

- **15分は余裕があるとき：散歩する or デスクを片付ける**
　どんなビル街にもちょっとした広場や公園はあるので、コーヒー片手にそこまで歩きながら頭の中でやるべきことを整理します。また、デスクが散らかっていると考えがまとまりにくくなるので片付けましょう。

- **30分は余裕があるとき：眠れる場所に移動し眠る**
　近所の公園でも良いし、お金に余裕があり近場にマッサージ店があるなら、クイックの20分コースを受けるのも良いでしょう。

- **1時間くらい余裕があるとき：運動する**
　近くにジムやプールがある場合に限られますが、運動するのも手です。ランニングや水泳などの、単純作業が続く有酸素運動が良いでしょう。こういった運動をしている間に、脳は無意識のうちに情報を整理してくれるそうです。

- **ほとんど余裕がないとき：モデル以外の作業をする**
　コーラなどのシャキッとしやすいものを飲みながら、メールの返信などモデル以外の作業をしましょう。

Point 4 STEP③ 将来財務諸表を作成する

■ 将来財務諸表とは

では、STEP②で設定したKPIを前提条件にして、将来の予測財務諸表＝将来財務諸表を作っていきましょう。将来財務諸表作成における原則は次の通りです。

前提条件（KPI）を除き、計算式のみを用いる

なぜ財務モデルではこのような形で将来財務諸表を作るのでしょうか。理由は二つあります。

第一に、このようにして予測財務諸表を作成してこそ、数字がより意味のある積み上げになるからです。たとえば、今回のようなケースで単純に「売上が5%伸びる」と仮定した場合と、「店舗数がX%伸び、店舗あたり客数がY%伸び、客単価がZ%減少することで、結果として売上は5%伸びる」と仮定した場合では、後者のほうがより意味のある予測といえるでしょう。その理由は2つで、(1)このように予測を作成することで予測の精度が高まる可能性があること、(2)前提条件を明確にした予測を作成することでこそ、実際の結果が予測とずれていた際に、何がどう外れていたのかを把握し、予測の改善のために役立てることができること、です。[8]

---

[8] もちろん、実務でも、情報が非常に少ない場合などには、「売上が毎年X%増」といった仮定で将来予測をすることはあります。しかしながら、検討がよほど進んだ段階では、そのような予測をすることはほとんどありません。

第二に、前提条件（インプット）における値以外を数式にしてこそ、後に行うような様々なシミュレーションが行えるようになるからです。これについては、本書を読み進めるうちに理解していただけると思います。

　財務モデルによる将来予測は、「前提条件を作成」→「前提条件をモデル上の予測 KPI にリンク」→「数式だけを用いて予測財務諸表を作成」という順序で行われます。ひとつひとつのステップを追って見ていきましょう。

■ ステップ①前提条件を作成

　まず、将来財務諸表を作成するのに必要な前提条件リストを作成します。前提条件は一箇所にまとめておくと便利です。私が例として作成した前提条件は次の通りです。

図表4-16　前提条件

前提条件	
出店・設備投資に関する前提条件	
新規出店／年	70
退店／年	20
設備投資／新規出店（百万円）	37.0
改修／既存店舗（百万円）	1.2
その他設備投資（百万円）	352
店舗オペレーションに関する前提条件	
店舗あたり客数／日	310
客単価（円）	890
1人あたり人件費（百万円）	4.3
従業員数／店舗（人）	7.2
損益計算書に関する前提条件	
原価率（%）	33.5%
賃借料／店舗（百万円）	15.5
減価償却費／店舗（百万円）	3.9
その他費用（百万円）	831
税率（%）	40.0%
貸借対照表に関する前提条件	
売上債権／売上（%）	0.7%
棚卸資産／売上（%）	3.9%
買入債務／食品原価（%）	11.2%
キャッシュフローに関する前提条件	
毎年の支払配当金（百万円）	530
その他キャッシュフロー（百万円）	161

実績や今後の計画を勘案し、値を決定する

それぞれの値は、過去実績や事業計画を基に決めます。今回は、過去5年の平均や直近の数値を参考にして決定しました。なお、分析対象とする企業の事業計画を入手したり、経営陣インタビューなどができる場合には、それらを参考にして前提条件を決めます。自社の計画を作成する場合には、社内で十分に協議をした上で前提条件の数値を決めます。

　この前提条件がすべての財務予測を左右するので、実際に財務モデルを組む際には前提条件の決定に相当な時間を割きます。客単価や客数一つとっても、客単価が下がっている現状分析や、今後の客単価向上のための各種施策の検討、それら施策の導入タイミングなどを勘案しながら数字を決めていきます。そうしてこそ、「魂の込もった将来予測」を作成できるようになります。

▌ ステップ②前提条件をモデル上の予測KPIにリンク

　次に、作成した前提条件を予測KPI（すなわち、モデル中の来年以降のKPI）にリンクさせながら、モデルの主要指標セクションを完成させます。

　では、作っていきましょう。新規出店数、退店数からはじまって、前提条件として記載したものは、すべてモデル本体にリンクさせます。具体的には、リンク先のセルを参照するように計算式を組みます。

　前提条件からリンクさせている数値は、緑字にします。値ではないので青でもなく、とはいえ数式の黒のままを使うと混乱しやすいので、緑にしておくわけです。この「リンク＝緑字」のルールは、モデルが大がかりなものになり、計算が複数のシートにまたがる場合にはより重要になってきます。

　財務指標のシートの8割くらいはすべて前提条件からのリンクです。今回の例では、元の式を使えば済むもの以外で、実際に計算を作り直す必要があるのは下記の項目になります。

・客数＝店舗あたり客数×期中平均店舗数
・従業員数＝期末店舗数×店舗あたり従業員数
・新規出店設備投資＝出店数×1件あたり設備投資額

・改修＝昨期の店舗数×1件あたり改修額

このようにして、すべての予測 KPI が準備できました。
なお、今のところ、KPI が予測期間すべてにおいて同じ値となっています

図表4-17 予測KPIの作成（大部分は前提条件からのリンク）

決算期	5年前	4年前	3年前
実績／予測	実績	実績	実績
日数	365	366	365
KPI			
新規出店／年	N/A	38	43
退店／年	N/A	16	9
店舗数	**400**	**422**	**456**
客数（千人）	N/A	53,209	55,168
従業員数	2,603	2,854	3,136
設備投資総額（百万円）	N/A	1,843	2,753
新規出店設備投資	N/A	1,118	1,919
改修	N/A	645	692
その他設備投資	N/A	80	142
設備投資／新規出店（百万円）		29.4	44.6
改修／既存店舗（百万円）		1.6	1.6
オペレーションに関する財務指標			
売上／店舗数（百万円）		119	116
店舗あたり客数／日		354	344
客単価（円）		922	924
人件費／1店舗(百万円)		27	30
1人あたり人件費（百万円）		4.0	4.4
従業員数／店舗（人）		6.8	6.9
損益計算書に関する財務指標			
原価率(%)		35.5%	34.2%
賃借料／店舗（百万円）		18.3	17.4
減価償却費／店舗（百万円）		3.5	3.5
税率(%)		42.2%	39.1%
貸借対照表に関する財務指標			
売上債権／売上(%)		0.7%	0.6%
棚卸資産／売上(%)		4.0%	3.9%
買入債務／食品原価(%)		11.4%	11.0%
自己資本比率(%)→純資産÷総資産 or 純資産÷資本＆負債		92.1%	80.1%

が、これが実態に即さない場合には、1年目はこの数値、2年目はこの数値というように、前提条件を増やし、それぞれの予測期間を増やしていく場合があります。一例として、図表4-18を参考にしてください。このように、タテに並べたものをヨコに並べてリンクさせる場合には、TRANSPOSE関

2年前 実績	去年 実績	今年 実績	1年後 予測	2年後 予測	3年後 予測	4年後 予測	5年後 予測
365	365	366	365	365	365	366	365
58	79	98	70	70	70	70	70
9	25	32	20	20	20	20	20
505	559	625	675	725	775	825	875
62,381	64,351	67,762	73,548	79,205	84,863	90,768	96,178
3,750	4,136	4,592	4,860	5,220	5,580	5,940	6,300
2,840	3,131	5,767	3,717	3,779	3,841	3,903	3,965
2,222	2,880	3,539	2,589	2,589	2,589	2,589	2,589
393	40	1,124	776	838	900	962	1,024
225	211	1,104	352	352	352	352	352
38.3	36.5	36.1	37.0	37.0	37.0	37.0	37.0
0.9	0.1	2.0	1.2	1.2	1.2	1.2	1.2
120	108	102	101	101	101	101	101
356	331	313	310	310	310	310	310
921	896	888	890	890	890	890	890
32	30	28	31	31	31	31	31
4.3	4.0	3.8	4.3	4.3	4.3	4.3	4.3
7.4	7.4	7.3	7.2	7.2	7.2	7.2	7.2
32.2%	32.5%	33.1%	33.5%	33.5%	33.5%	33.5%	33.5%
16.6	15.5	14.5	15.5	15.5	15.5	15.5	15.5
3.6	3.9	3.9	3.9	3.9	3.9	3.9	3.9
39.5%	37.3%	41.8%	40.0%	40.0%	40.0%	40.0%	40.0%
0.7%	0.8%	0.9%	0.7%	0.7%	0.7%	0.7%	0.7%
3.7%	4.0%	3.9%	3.9%	3.9%	3.9%	3.9%	3.9%
10.8%	11.7%	11.0%	11.2%	11.2%	11.2%	11.2%	11.2%
86.1%	91.3%	91.4%	91.5%	91.8%	92.0%	92.3%	92.5%

前提条件とリンクさせ、リンクさせた項目は緑字にする

数を使うと便利なことがあります。特殊な関数なので、使い方をご存知でない方は Excel 関数の解説書を読むか、ウェブ検索をしてみてください。

図表4-18　TRANSPOSE関数

新規出店／年	1年目	50
新規出店／年	2年目	50
新規出店／年	3年目	60
新規出店／年	4年目	70
新規出店／年	5年目	80

	1年後 予測 365	2年後 予測 365	3年後 予測 365	4年後 予測 366	5年後 予測 365
新規出店／年→各年で違うリンク	50	50	60	70	80

TRANSPOSE関数を使うと便利

■ ステップ③数式だけを用いて予測財務諸表を作成

では、いよいよ将来財務諸表を作っていきましょう。将来財務諸表は、基本的に予測 KPI を基に作成していくことになります。具体的には、次の4種類の方法で将来財務諸表を作っていくことになります。それぞれの構成比も参考までに述べておきます（図表 4 - 19）。

まずは損益計算書です。損益計算書の項目の多くは、KPI から計算されます。税前利益や当期純利益は、これら項目が計算されれば自ずから確定されます。

①売上高合計＝客単価×客数
②材料費＝売上×材料費率
③人件費＝期中平均従業員数×1人あたり人件費
④賃借料＝期中平均店舗数×店舗あたり賃借料
⑤減価償却費＝期中平均店舗数×店舗あたり減価償却費[*9]
⑥その他費用＝前提条件とリンク

図表4-19 将来財務諸表のKPIの構成

項目の種類	組む式の内容	構成比
予測KPIの数字をそのまま用いればよいもの(例:設備投資)	前提条件の数値とリンクさせる	2〜4割
実績計算に用いた数式と同じでよいもの(例:税引前利益)	実績で用いた式の引き伸ばし	2〜3割
前提条件やその他から計算できるもの(例:売上=客単価×客数)	場合に応じた式を組む	4〜6割
その他(主に、インパクトが小さいもの)	過去数値とリンクさせる、など	2割以下

⑦税金＝税前利益×税率

このように、モデル上の財務予測における損益計算書においては、基本的にすべての数字は前提条件であるKPIが確定された後には数式のみを通じて導くことができます。

違う表現をすると、損益計算書の中に数式だけで組めない項目があるということは、前提条件が不足していることを意味します。そういった場合には、前提条件の欄に項目を追加しましょう。

次に、BSとCF計算を完成させます。BSの項目のうち、元の計算以外の方法で計算する必要がある項目は次のとおりです。なお、どこまで計算を細かくするかは状況によって異なってきます。

・売上債権＝売上×(売上債権÷売上) …KPI上の「売上債権／売上(%)」
・棚卸資産＝売上×(棚卸資産÷売上) …KPI上の「棚卸資産／売上(%)」
・買入債務＝材料費×(買入債務÷食品原価) …KPI上の「購入債務／材料費(%)」
・その他負債＝1年前の数値＋キャッシュフローの「その他」

---

*9 厳密に行う場合には、減価償却費は固定資産のリストから積み上げて計算します。

図表4-20 将来財務諸表（PL）をKPIを用いて作成する

決算期 実績／予測 日数		5年前 実績 365	4年前 実績 366	3年前 実績 365
損益計算書（百万円）				
売上高合計＝客単価×客数		N/A	49,045	50,993
食品原価＝売上×原価率		N/A	17,415	17,465
人件費＝期中平均従業員数×一人あたり人件費		N/A	10,971	13,244
賃借料＝期中平均店舗数×店舗あたり賃借料		N/A	7,540	7,658
減価償却費＝期中平均店舗数×店舗あたり減価償却費		N/A	1,430	1,555
その他費用＝前提条件とリンク		N/A	1,269	632
税前利益→元の式のまま		N/A	10,420	10,439
税金＝税前利益×税率		N/A	4,393	4,079
当期純利益→元の式のまま		N/A	6,027	6,360
マージン			12.3%	12.5%

・その他流動資産、借入金＝便宜的に横置きにする（1年前と同じ数字を用いる[10]）

　最後に、CFでは、支払い配当金とその他キャッシュフローのみ、前提条件と直接リンクさせます。残りの式は、財務三表の連動に用いた式をコピー＆ペーストすれば済みます（図表4-21）。

■ 財務モデルの完成

　お疲れ様でした！　これで財務モデルが完成です。財務モデルがインプット（ベタ打ち項目）である前提条件とアウトプットだけでできた表だということがわかっていただけたでしょうか。

　この本を手にとって、はじめて財務モデルを完成させた方の中には、「Excelでこんなことができるのか」と感動している人もいるのではないでしょうか。ここまでできたら、前提条件の数字をあれこれと変えてみて、それに基づいて5年間の財務予測がどのように変わるのかを見てみてください。こういった前提条件の数字をあれこれと操作することを通じて、分析対象となる会社のビジネスをよりよく理解できるようになります。自社の事業計画を作る場合であっても同様です。

| | 2年前
実績
365 | 去年
実績
365 | 今年
実績
366 | 1年後
予測
365 | 2年後
予測
365 | 3年後
予測
365 | 4年後
予測
366 | 5年後
予測
365 |
|---|---|---|---|---|---|---|---|---|
| | 57,423 | 57,654 | 60,180 | 65,457 | 70,492 | 75,528 | 80,784 | 85,598 |
| | 18,496 | 18,717 | 19,931 | 21,935 | 23,622 | 25,310 | 27,071 | 28,684 |
| | 14,806 | 15,755 | 16,795 | 21,672 | 23,220 | 24,768 | 26,316 |
| | 7,985 | 8,262 | 8,612 | 10,075 | 10,850 | 11,625 | 12,400 | 13,175 |
| | 1,745 | 2,063 | 2,295 | 2,520 | 2,714 | 2,908 | 3,101 | 3,295 |
| | 772 | 468 | 1,012 | 831 | 831 | 831 | 831 | 831 |
| | 13,619 | 12,389 | 11,535 | 9,775 | 10,804 | 11,635 | 12,613 | 13,297 |
| | 5,380 | 4,615 | 4,824 | 3,906 | 4,317 | 4,650 | 5,040 | 5,314 |
| | 8,239 | 7,774 | 6,711 | 5,869 | 6,486 | 6,985 | 7,572 | 7,983 |
| | *14.3%* | *13.5%* | *11.2%* | *9.0%* | *9.2%* | *9.2%* | *9.4%* | *9.3%* |

　また、財務モデルがあれば、さらに様々な分析ができるようになります。それについては、次の章で紹介することにしましょう。

　計算の確認のためにモデル全体を貼り付けておきます。

---

*10　本来であれば、借入金の償還スケジュールはかなり重要な項目で、かなりの時間を割いて詳細な積み上げを通じて将来予測を作成していくのですが、計算が若干複雑になりがちであること、今回の例では借入金の額があまり大きくないのでキャッシュフローに大きな影響を与える項目でないことから、数字を横置きにしてあります。

図表4-21 将来財務諸表 (BS/CF)

決算期	5年前 実績	4年前 実績	3年前 実績	2年前 実績	去年 実績	今年 実績	1年後 予測	2年後 予測	3年後 予測	4年後 予測	5年後 予測
実績/予測	365	366	365	365	365	366	365	365	365	366	365
日数											
貸借対照表 (百万円)											
現金・現金等価物→元の計算のまま	6,918	13,258	25,280	28,827	32,089	35,116	39,520	44,528	50,167	56,524	63,426
売上債権→売上×(売上債権÷売上)	268	348	304	392	466	532	482	519	556	595	630
棚卸資産→売上×(棚卸資産÷売上)	2,270	1,946	2,005	2,126	2,282	2,336	2,545	2,741	2,937	3,141	3,328
その他流動資産=一年前の数値の据置き	N/A	1,433	1,095	1,682	1,919	1,947	1,947	1,947	1,947	1,947	1,947
固定資産合計→元の計算のまま	19,980	20,393	21,591	22,686	23,754	27,226	28,423	29,488	30,422	31,223	31,893
資産合計→元の計算のまま	N/A	37,378	50,275	55,713	60,510	67,157	72,917	79,223	86,029	93,430	101,225
買入債務=食品原価×(買入債務÷食品原価)	1,802	1,992	1,914	2,005	2,197	2,197	2,457	2,646	2,835	3,032	3,213
短期借入金=一年前の数値の据置き	0	0	3,142	3,146	864	1,155	1,155	1,155	1,155	1,155	1,155
長期借入金=一年前の数値の据置き	0	0	4,001	954	90	957	957	957	957	957	957
その他=一年前の数値+キャッシュフローの「その他」	N/A	956	957	1,637	2,143	1,444	1,605	1,766	1,928	2,089	2,250
純資産合計→元の計算のまま	28,943	34,430	40,261	47,971	55,216	61,404	66,743	72,699	79,155	86,197	93,651
負債・純資産合計→元の計算のまま	N/A	37,378	50,275	55,713	60,510	67,157	72,917	79,223	86,029	93,430	101,225
バランスチェック		0	0	0	0	0	0	0	0	0	0
キャッシュフロー (百万円)											
当期純利益→元の計算のまま	N/A	6,027	6,360	8,239	7,774	6,711	5,869	6,486	6,985	7,572	7,983
減価償却費→元の計算のまま	N/A	1,430	1,555	1,745	2,063	2,295	2,520	2,714	2,908	3,101	3,295
運転資本の増減→元の計算のまま	N/A	434	(93)	(118)	(38)	(120)	101	(44)	(44)	(46)	(42)
設備投資→元の計算のまま	N/A	(1,843)	(2,753)	(2,840)	(3,131)	(5,767)	(3,717)	(3,779)	(3,841)	(3,903)	(3,965)
借入金の増減→元の計算のまま	N/A	0	7,143	(3,043)	(3,146)	1,158	0	0	0	0	0
支払配当金=前提条件とリンク	N/A	(540)	(529)	(529)	(529)	(523)	(530)	(530)	(530)	(530)	(530)
その他=前提条件とリンク	N/A	832	339	93	269	(727)	161	161	161	161	161
現金及び現金同等物の増減→元の計算のまま	N/A	6,340	12,022	3,547	3,262	3,027	4,404	5,009	5,639	6,356	6,903
期末現預金→元の計算のまま	6,918	13,258	25,280	28,827	32,089	35,116	39,520	44,528	50,167	56,524	63,426
バランスチェック		0	0	0	0	0	0	0	0	0	0

図表4-22 完成した財務モデルの全体像

前提条件

出店・設備投資に関する前提条件

新規出店／年	70
退店／年	20
設備投資／新規出店（百万円）	37.0
改修／既存店舗（百万円）	1.2
その他設備投資（百万円）	352

店舗オペレーションに関する前提条件

店舗あたり客数／日	310
客単価（円）	890
1人あたり人件費（百万円）	4.3
従業員数／店舗（人）	7.2

損益計算書に関する前提条件

原価率(%)	33.5%
賃借料／店舗（百万円）	15.5
減価償却費／店舗（百万円）	3.9
その他費用（百万円）	831
税率(%)	40.0%

貸借対照表に関する前提条件

売上債権／売上(%)	0.7%
棚卸資産／売上(%)	3.9%
買入債務／食品原価(%)	11.2%

キャッシュフローに関する前提条件

毎年の支払配当金（百万円）	530
その他キャッシュフロー（百万円）	161

第4章 | 本格的に財務モデルを組む

財務実績・予測

決算期	5年前 実績	4年前 実績	3年前 実績	2年前 実績	去年 実績	今年 実績	1年後 予測	2年後 予測	3年後 予測	4年後 予測	5年後 予測
日数	365	366	365	365	365	366	365	365	365	366	365
KPI											
新規出店/年=前提条件とリンク	N/A	38	43	58	79	98	70	70	70	70	70
退店/年=前提条件とリンク	N/A	16	9	9	25	32	20	20	20	20	20
店舗数	400	422	456	505	559	625	675	725	775	825	875
客数（千人）=店舗あたり客数×期中平均店舗数	N/A	53,209	55,168	62,381	64,351	67,762	73,548	79,205	84,863	90,768	96,178
従業員数=期末店舗あたり従業員数	2,603	2,854	3,136	3,750	4,136	4,592	4,860	5,220	5,580	5,940	6,300
設備投資総額（百万円）	N/A	1,843	2,753	2,840	3,131	5,767	3,717	3,779	3,841	3,903	3,965
新規出店設備投資=出店数×一件あたり設備投資額	N/A	1,118	1,919	2,222	2,880	3,539	2,589	2,589	2,589	2,589	2,589
改修=昨期の店舗数×一年あたり改修額	N/A	645	692	393	40	1,124	776	838	900	962	1,024
その他設備投資=前提条件とリンク	N/A	80	142	225	211	1,104	352	352	352	352	352
設備投資/新規出店（百万円）=前提条件とリンク		29.4	44.6	38.3	36.5	36.1	37.0	37.0	37.0	37.0	37.0
改修/既存店舗（百万円）=前提条件とリンク		1.6	1.6	0.9	0.1	2.0	1.2	1.2	1.2	1.2	1.2
オペレーションに関する財務指標											
売上/店舗数（百万円）=元の式のまま		119	116	120	108	102	101	101	101	101	101
店舗あたり客数/日=前提条件とリンク		354	344	356	331	313	310	310	310	310	310
客単価（円）=前提条件とリンク		922	924	921	896	888	890	890	890	890	890
人件費/店舗（百万円）=元の式のまま		27	30	32	30	28	31	31	31	31	31
1人あたり人件費（百万円）=前提条件とリンク		4.0	4.4	4.3	4.0	3.8	4.3	4.3	4.3	4.3	4.3
従業員数/店舗（人）=前提条件とリンク		6.8	6.9	7.4	7.4	7.3	7.2	7.2	7.2	7.2	7.2
損益計算書に関する財務指標											
原価率/売上（%）=前提条件とリンク		35.5%	34.2%	32.2%	32.5%	33.1%	33.5%	33.5%	33.5%	33.5%	33.5%
賃料/店舗（百万円）=前提条件とリンク		18.3	17.4	16.6	15.5	14.5	15.5	15.5	15.5	15.5	15.5
減価償却費/店舗（百万円）=前提条件とリンク		3.5	3.5	3.6	3.9	3.9	3.9	3.9	3.9	3.9	3.9
税率（%）=前提条件とリンク		42.2%	39.1%	39.5%	37.3%	41.8%	40.0%	40.0%	40.0%	40.0%	40.0%
貸借対照表に関する財務指標											
売上債権/売上（%）=前提条件とリンク		0.7%	0.6%	0.7%	0.8%	0.9%	0.7%	0.7%	0.7%	0.7%	0.7%
固定資産/売上（%）=前提条件とリンク		4.0%	3.9%	3.7%	4.0%	3.9%	3.9%	3.9%	3.9%	3.9%	3.9%
買入債務/原価（%）=前提条件とリンク		11.4%	11.0%	10.8%	11.7%	11.0%	11.2%	11.2%	11.2%	11.2%	11.2%
自己資本比率（%）=元の式のまま		92.1%	80.1%	86.1%	91.3%	91.4%	91.5%	91.8%	92.0%	92.3%	92.5%

損益計算書（百万円）											
売上高合計＝一客単価×客数	N/A	49,045	50,993	57,423	57,654	60,180	65,457	70,492	75,528	80,784	85,598
食品原価＝売上×原価率	N/A	17,415	17,465	18,496	18,717	19,931	21,935	23,622	25,310	27,071	28,684
人件費＝期中平均従業員数×一人あたり人件費	N/A	10,971	13,244	14,806	15,755	16,795	20,322	21,672	23,220	24,768	26,316
賃借料＝期中平均店舗数×店舗あたり賃借料	N/A	7,540	7,658	7,985	8,262	8,612	10,075	10,850	11,625	12,400	13,175
減価償却費＝期中平均店舗数×店舗あたり減価償却費	N/A	1,430	1,555	1,745	2,063	2,295	2,520	2,714	2,908	3,101	3,295
その他費用＝前提条件とリンク	N/A	1,269	632	772	468	1,012	831	831	831	831	831
税前利益＝売上－全費用	N/A	10,420	10,439	13,619	12,389	11,535	9,775	10,804	11,635	12,613	13,297
税金＝税前利益×税率	N/A	4,393	4,079	5,380	4,615	4,824	3,906	4,317	4,650	5,040	5,314
当期純利益＝税前利益－税金	N/A	6,027	6,360	8,239	7,774	6,711	5,869	6,486	6,985	7,572	7,983
マージン	N/A	12.3%	12.5%	14.3%	13.5%	11.2%	9.0%	9.2%	9.2%	9.4%	9.3%
貸借対照表（百万円）											
現金・現金等価物＝キャッシュフロー計算書とリンク	6,918	13,258	25,280	28,827	32,089	35,116	39,520	44,528	50,167	56,524	63,426
売上債権＝売上×（売上債権÷売上）	268	348	304	392	466	532	482	519	556	595	630
棚卸資産＝売上×（棚卸資産÷売上）	2,270	1,946	2,005	2,126	2,282	2,336	2,545	2,741	2,937	3,141	3,328
その他流動資産＝一年前の数値の横置き	N/A	1,433	1,095	1,682	1,919	1,947	1,947	1,947	1,947	1,947	1,947
固定資産合計＝昨期残高＋設備投資－減価償却費	19,980	20,393	21,591	22,686	23,754	27,226	28,423	29,488	30,422	31,223	31,893
資産合計	N/A	37,378	50,275	55,713	60,510	67,157	72,917	79,223	86,029	93,430	101,225
買入債務＝食品原価×（買入債務÷食品原価）	1,802	1,992	1,914	2,005	2,197	2,197	2,457	2,646	2,835	3,032	3,213
短期借入金＝一年前の数値の横置き	0	0	0	3,146	864	1,155	1,155	1,155	1,155	1,155	1,155
長期借入金＝一年前の数値の横置き	0	0	4,001	954	90	957	957	957	957	957	957
その他の数値＝キャッシュフローの「その他」	N/A	956	957	1,637	2,143	1,444	1,605	1,766	1,928	2,089	2,250
純資産合計＝昨期残高＋当期純利益－支払配当金	28,943	34,430	40,261	47,971	55,216	61,404	66,743	72,699	79,155	86,197	93,651
負債・純資産合計	N/A	37,378	50,275	55,713	60,510	67,157	72,917	79,223	86,029	93,430	101,225
バランスチェック		0	0	0	0	0	0	0	0	0	0
キャッシュフロー（百万円）											
当期純利益＝損益計算書の数値とリンク	N/A	6,027	6,360	8,239	7,774	6,711	5,869	6,486	6,985	7,572	7,983
減価償却費＝同上	N/A	1,430	1,555	1,745	2,063	2,295	2,520	2,714	2,908	3,101	3,295
運転資本の増減＝債権（増）減＋債務増（減）	N/A	434	(93)	(118)	(38)	(120)	101	(44)	(44)	(46)	(42)
設備投資＝主要指標の数値とリンク	N/A	(1,843)	(2,753)	(2,840)	(3,131)	(5,767)	(3,717)	(3,779)	(3,841)	(3,903)	(3,965)
借入金の増減＝今期の残高－去年の残高	N/A	0	7,143	(3,043)	(3,146)	1,158	0	0	0	0	0
支払配当金＝前期条件とリンク	N/A	(540)	(529)	(529)	(529)	(523)	(530)	(530)	(530)	(530)	(530)
その他＝前提条件とリンク	N/A	832	339	93	269	3,027	161	161	161	161	161
現金及び現金同等物の増減＝上記合計	N/A	6,340	12,022	3,547	3,262	3,027	4,404	5,009	5,639	6,356	6,903
期末現預金＝去年残高＋今期変化額	6,918	13,258	25,280	28,827	32,089	35,116	39,520	44,528	50,167	56,524	63,426
バランスチェック＝貸借対照表の現預金－計算結果		0	0	0	0	0	0	0	0	0	0

Point 5 財務モデルが きちんと作動するか確認する

■ 作成した財務モデルは分析する前に動作確認をする

　財務モデルを組み終わったら、様々な分析に移る前に、モデルがきちんと動いているのかを確認しましょう。

　財務モデルはかなり多くの計算式によって組み立てられています。本書の例はまだ短いほうです。こういったモデルの数式を1つひとつレビューしていては埒が明きません。

　そのため、モデルのレビューは「インプット変更に伴うアウトプット変化が合理的に説明できるのか」を通じて行うことがほとんどです。より具体的には、作成したモデルの前提条件を変えてみて、その結果変わる諸般の数値をもともとの数値と比較することによって、レビューを行います。

　では実際にやってみましょう。現在の前提条件では、新規出店数は年間に70となっています。これを50にしたら、結果は図表4-23のようになりました。

　このモデルの計算が正しいかどうかを確認するには、どうすれば良いでしょうか。ここでは二つの方法を紹介します。

■ コピー&ペーストの演算機能を活用する

　ひとつめは、コピー&ペーストの演算機能を使う方法です。まずは、新しくファイルを開きます。そして、新規出店が年間70の場合におけるモデルの計算結果を、値&書式貼り付けで新しいファイルに貼り付けます。そして、財務モデルのファイルに戻り、年間新規出店数の前提条件を50にしま

図表4-23 財務モデルのチェック① 新規出店数70の場合

財務実績・予測（年間出店70の場合）

決算期 実績／予測 日数	1年後 予測 365	2年後 予測 365	3年後 予測 365	4年後 予測 366	5年後 予測 365
損益計算書（百万円）					
売上高合計	65,457	70,492	75,528	80,784	85,598
食品原価	21,935	23,622	25,310	27,071	28,684
人件費	20,322	21,672	23,220	24,768	26,316
賃借料	10,075	10,850	11,625	12,400	13,175
減価償却費	2,520	2,714	2,908	3,101	3,295
その他費用	831	831	831	831	831
税前利益	**9,775**	**10,804**	**11,635**	**12,613**	**13,297**
税金	3,906	4,317	4,650	5,040	5,314
当期純利益	**5,869**	**6,486**	**6,985**	**7,572**	**7,983**
マージン	9.0%	9.2%	9.2%	9.4%	9.3%
貸借対照表（百万円）					
現金・現金等価物	39,520	44,528	50,167	56,524	63,426
売上債権	482	519	556	595	630
棚卸資産	2,545	2,741	2,937	3,141	3,328
その他流動資産	1,947	1,947	1,947	1,947	1,947
固定資産合計	28,423	29,488	30,422	31,223	31,893
資産合計	**72,917**	**79,223**	**86,029**	**93,430**	**101,225**
買入債務	2,457	2,646	2,835	3,032	3,213
短期借入金	1,155	1,155	1,155	1,155	1,155
長期借入金	957	957	957	957	957
その他	1,605	1,766	1,928	2,089	2,250
純資産合計	66,743	72,699	79,155	86,197	93,651
負債・純資産合計	**72,917**	**79,223**	**86,029**	**93,430**	**101,225**
バランスチェック	0	0	0	0	0
キャッシュフロー（百万円）					
当期純利益	5,869	6,486	6,985	7,572	7,983
減価償却費/のれん償却費	2,520	2,714	2,908	3,101	3,295
運転資本の増減	101	(44)	(44)	(46)	(42)
設備投資	(3,717)	(3,779)	(3,841)	(3,903)	(3,965)
借入の増減	0	0	0	0	0
支払配当金	(530)	(530)	(530)	(530)	(530)
その他	161	161	161	161	161
現金及び現金同等物の増減	4,404	5,009	5,639	6,356	6,903
期末現預金	39,520	44,528	50,167	56,524	63,426
バランスチェック	0	0	0	0	0

図表4-24 財務モデルのチェック② 新規出店数を50に変えた結果をコピー

財務実績・予測（年間出店50の場合）

決算期 実績／予測 日数	1年後 予測 365	2年後 予測 365	3年後 予測 365	4年後 予測 366	5年後 予測 365
損益計算書（百万円）					
売上高合計	64,450	67,471	70,492	73,715	76,535
食品原価	21,597	22,610	23,622	24,702	25,647
人件費	20,012	20,743	21,672	22,601	23,530
賃借料	9,920	10,385	10,850	11,315	11,780
減価償却費	2,481	2,597	2,714	2,830	2,946
その他費用	831	831	831	831	831
税前利益	**9,609**	**10,305**	**10,804**	**11,436**	**11,801**
税金	3,840	4,118	4,318	4,570	4,716
当期純利益	**5,769**	**6,187**	**6,486**	**6,866**	**7,085**
マージン	*9.0%*	*9.2%*	*9.2%*	*9.3%*	*9.3%*
貸借対照表（百万円）					
現金・現金等価物	40,129	45,504	51,257	57,467	63,979
売上債権	474	497	519	543	563
棚卸資産	2,506	2,624	2,741	2,866	2,976
その他流動資産	1,947	1,947	1,947	1,947	1,947
固定資産合計	27,722	28,139	28,477	28,736	28,916
資産合計	**72,779**	**78,710**	**84,941**	**91,559**	**98,381**
買入債務	2,419	2,532	2,646	2,767	2,872
短期借入金	1,155	1,155	1,155	1,155	1,155
長期借入金	957	957	957	957	957
その他	1,605	1,766	1,928	2,089	2,250
純資産合計	66,643	72,300	78,256	84,592	91,147
負債・純資産合計	**72,779**	**78,710**	**84,941**	**91,559**	**98,381**
バランスチェック	*0*	*0*	*0*	*0*	*0*
キャッシュフロー（百万円）					
当期純利益	5,769	6,187	6,486	6,866	7,085
減価償却費/のれん償却費	2,481	2,597	2,714	2,830	2,946
運転資本の増減	109	(26)	(26)	(28)	(25)
設備投資	(2,977)	(3,014)	(3,052)	(3,089)	(3,126)
借入の増減	0	0	0	0	0
支払配当金	(530)	(530)	(530)	(530)	(530)
その他	161	161	161	161	161
現金及び現金同等物の増減	5,013	5,375	5,753	6,210	6,512
期末現預金	40,129	45,504	51,257	57,467	63,979
バランスチェック	*0*	*0*	*0*	*0*	*0*

図表4-25 財務モデルのチェック③ 値&減算で貼り付け

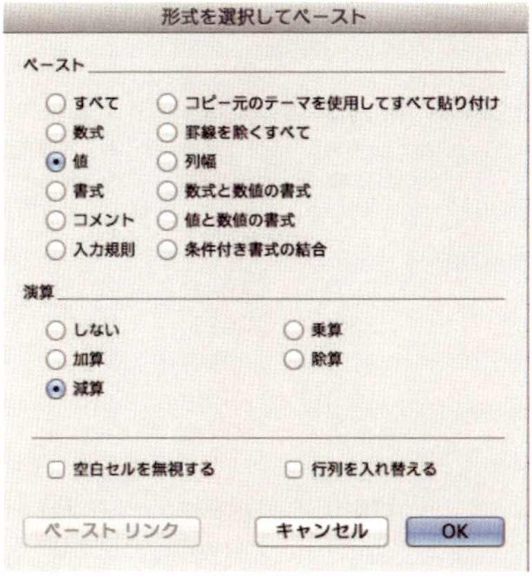

す。

　そして、計算結果をコピーします（図表4-24）。

　コピーした後に、新規出店の前提条件を50にしていたシートに行き、「形式を選択して貼り付け」→「値＆減算」で貼り付けを選びます（図表4-25）。

　すると、図表4-26のように一瞬で二つのシートの差額がわかるようになります。そして、この差の一つひとつを説明できるか、確認するのです。

　今回の例であれば、50出店にすると、70出店の場合よりも売上・利益が減少しています。これは店舗数の違いによるものでしょう。貸借対照表を見ると、固定資産が減っている一方で、現預金は増えています。固定資産減は店舗数が減ったことが要因ですし、現預金が増えたのは、店舗出店にかかる設備投資が減ったからです（ただし、一部は売上減に伴う利益減によって相殺されています）。

　こういった調子で前提条件を様々なものに変えてみて、すべての変化が口頭で説明できるのであれば、そのモデルはきちんと機能していると考えて良

第4章　本格的に財務モデルを組む　147

図表4-26 新規出店数70の場合の財務予測と新規出店数50のそれとの差額

年間出店数50の場合と70の場合の差額

決算期 実績／予測 日数	1年後 予測 365	2年後 予測 365	3年後 予測 365	4年後 予測 366	5年後 予測 365
損益計算書（百万円）					
売上高合計	(1,007)	(3,021)	(5,035)	(7,069)	(9,063)
食品原価	(337)	(1,012)	(1,687)	(2,369)	(3,037)
人件費	(310)	(929)	(1,548)	(2,167)	(2,786)
賃借料	(155)	(465)	(775)	(1,085)	(1,395)
減価償却費	(39)	(116)	(194)	(271)	(349)
その他費用	0	0	0	0	0
税前利益	**(166)**	**(499)**	**(831)**	**(1,176)**	**(1,496)**
税金	(66)	(199)	(332)	(470)	(598)
当期純利益	**(100)**	**(300)**	**(499)**	**(706)**	**(898)**
マージン	*0.0%*	*0.0%*	*0.0%*	*-0.1%*	*-0.1%*
貸借対照表（百万円）					
現金・現金等価物	610	976	1,090	944	553
売上債権	(7)	(22)	(37)	(52)	(67)
棚卸資産	(39)	(117)	(196)	(275)	(352)
その他流動資産	0	0	0	0	0
固定資産合計	(701)	(1,349)	(1,945)	(2,487)	(2,978)
資産合計	**(138)**	**(513)**	**(1,088)**	**(1,871)**	**(2,844)**
買入債務	(38)	(113)	(189)	(265)	(340)
短期借入金	0	0	0	0	0
長期借入金	0	0	0	0	0
その他	0	0	0	0	0
純資産合計	(100)	(400)	(899)	(1,605)	(2,504)
負債・純資産合計	**(138)**	**(513)**	**(1,088)**	**(1,871)**	**(2,844)**
バランスチェック	*0*	*0*	*0*	*0*	*0*
キャッシュフロー（百万円）					
当期純利益	(100)	(300)	(499)	(706)	(898)
減価償却費/のれん償却費	(39)	(116)	(194)	(271)	(349)
運転資本の増減	9	18	18	18	17
設備投資	740	765	789	814	839
借入の増減	0	0	0	0	0
支払配当金	0	0	0	0	0
その他	0	0	0	0	0
現金及び現金同等物の増減	610	366	114	(146)	(391)
期末現預金	**610**	**976**	**1,090**	**944**	**553**
バランスチェック	*0*	*0*	*0*	*0*	*0*

いでしょう。

◤ 比較用のファイルを作る

なお、こうした確認をより頻繁にしたい場合には、確認用のファイルを作ってしまいましょう。確認用ファイルは次の3つのシートで構成されます。

シート①：もとの前提条件によって作られた財務モデルの結果
　　　　　（値貼り付けされている）
シート②：前提条件を変えたあとの財務モデルの結果
　　　　　（値貼り付けされている）
シート③：上記①と②の比較をするシート
　　　　　（シート①とシート②の同じセルの引き算だけの数式でつくる）

こうして、前提条件を変え、シート②にその結果を貼り付け、シート③でその結果比較を見ることで、財務モデルがきちんと機能しているかの確認をするのです。

第4章のまとめ

- 財務モデル作成の基本ステップは、①実績値を値と数式に分解して、実績値の整合性を確認する、②実績値を、重要業績評価指標（Key Performance Indicator、KPI）に分解する、③KPIをインプット項目（前提条件の数値）として、残りの数値がすべて計算式で求められるように将来予測を作成する、という3ステップ
- STEP①で行うこと：実績値を値と数式に分解する過程で、実績値を青字、計算式を黒字にする。このパートで特に難しいのは、損益計算書・貸借対照表・キャッシュフロー計算の三表を連動させることであり、その作業のために行うべきことは順番に、(1) 貸借対照表の項目のうち、現金以外をすべて完成させる、(2) キャッシュフローを作成し、期末の現預金を計算する、(3) そうして求められた現預金を、貸借対照表にリンクさせる、の3つ
- STEP②で行うこと：「売上を店舗あたり売上と店舗数に分解する」、といった手順で過去数値をKPIに分解し、事業を分析する。数字をさらに細分化することで、より事業を立体的に理解できるようになるとともに、将来予測作成の準備を進めることができる
- STEP③で行うこと：KPIを前提条件として値でタイプし、その前提条件を基にして数式だけで将来の財務諸表を作る。前提条件にリンクさせるような予測数値は緑字にするとともに、会計およびビジネスのロジックに沿って計算式を組み、前提条件以外はすべて計算式で将来予測を作りあげる
- モデルのレビューは、一つひとつの式をレビューするのではなく、インプット変更に伴うアウトプット変化が合理的に説明できるのかを通じて行う。具体的には、コピー＆ペーストの演算機能を用いるか、比較用のファイルを作るかによって行う

第5章

財務モデルを使った分析

第4章では、財務モデルの作り方を最初から最後まで説明してみました。財務モデルを作ることで、様々な分析を行えるようになります。

本章では実際に、シナリオ分析・感度分析という、最も頻繁に用いられる財務モデルを使った分析手法を紹介することにします。

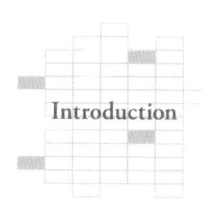

Introduction イントロダクション

　この章では、財務モデルを使った２つの分析、「シナリオ分析」と「感度分析」のやり方をご説明します。

　シナリオ分析を行えば、複数の前提条件の組み合わせからなるシナリオ別の会社の財務パフォーマンスが、具体的な数字で表現できるようになります。

　前提条件の細かい変化に伴う会社の財務パフォーマンスを分析する感度分析ができるようになれば、どの前提条件がどの程度大きなインパクトをもたらしうるのかがわかってきます。

　投資銀行や投資ファンドでは、投資の意思決定前に、これらの分析を何度も行い、その投資を実施すべきかどうかを様々な角度から検討することになります。

　ここからは、第４章で作成された財務モデルを用いて、次の問題に取り組むこととします。

【シナリオ分析】
この会社の業績について通常、好調、不調の３つのシナリオを作成して、それぞれの財務予測を作ってください。

【感度分析】
主要と思われる２指標の組み合わせを３つ選択し、それが変化した際に次の数値がどうなるのかを示してください。
① ５年後の最終利益の現在の最終利益に対する増減率
② ５年後の手元現預金

Point 1 シナリオ分析

■ どれくらいのボールパークでプレーしているのか？

第4章で作った財務モデルでは、前提条件は1つしか選択することができません。しかし、実際の仕事では、いくつかの異なる前提条件の組み合わせた結果がどうなるのかを知りたい場合があるでしょう。そういった分析をしたい場合には、どうすれば良いでしょうか。

そんなときに役立つのが、CHOOSE、SUMIF、VLOOKUPなどの関数を用いて行うシナリオ分析です。シナリオ分析とは、複数の前提条件の組み合わせでシナリオを作成し、そのシナリオが生じた時に企業の財務パフォーマンスがどのようになるのかを分析するものです。

この分析を通じて行うことは「どれくらいのボールパークでプレーしているのか」と表現されることもあります。どういうことかというと、「想定しうる最善の事態が生じた場合」と「想定しうる最悪の事態が生じた場合」における会社の財務パフォーマンスを把握することで、どの程度の振れ幅（ボールパーク＝球場の広さ）の中で議論をしているのかがわかるようになるということです。

■ シナリオ分析の方法

シナリオ分析の方法は簡単です。まずは、もとの前提条件の一覧の隣に、シナリオ（ケースと呼ぶことが多いです）を作成しましょう（図表5-1）。仮に、Case1、Case2、Case3と入れるとします。ここでは、Case1は当初の前提条件、Case2はもとのものよりも楽観的な前提条件、Case3は悲観的な

前提条件です。

図表5-1　シナリオ分析① 3つのシナリオの準備

選択ケース		ケース別前提条件		
		Case 1	Case 2	Case 3
出店・設備投資に関する前提条件				
新規出店／年	80	70	80	60
退店／年	20	20	20	20
設備投資／新規出店（百万円）	32.0	37.0	32.0	42.0
改修／既存店舗（百万円）	1.2	1.2	1.2	1.2
その他設備投資（百万円）	352	352	352	352
店舗オペレーションに関する前提条件				
店舗あたり客数／日	320	310	320	290
客単価（円）	900	890	900	870
1人あたり人件費（百万円）	3.7	4.3	3.7	4.5
従業員数／店舗（人）	7.0	7.2	7.0	7.4
損益計算書に関する前提条件				
原価率(%)	33.0%	33.5%	33.0%	34.0%
賃借料／店舗（百万円）	15.0	15.5	15.0	16.0
減価償却費／店舗（百万円）	3.9	3.9	3.9	3.9
その他費用（百万円）	831	831	831	831
税率(%)	40.0%	40.0%	40.0%	40.0%
貸借対照表に関する前提条件				
売上債権／売上(%)	0.7%	0.7%	0.7%	0.7%
棚卸資産／売上(%)	3.9%	3.9%	3.9%	3.9%
買入債務／材料費(%)	11.2%	11.2%	11.2%	11.2%
キャッシュフローに関する前提条件				
毎年の支払配当金（百万円）	530	530	530	530
その他キャッシュフロー（百万円）	161	161	161	161

財務モデルにリンクされている前提条件　　新しく追加した前提条件のグループ

　そして、前提条件を選ぶための「スイッチ」を準備します。具体的には、選択ケースを選べる欄を用意します。それと同時に、現在モデルにリンクされている前提条件の列をSUMIFの数式に変更します。数式の中身は次の通りです。

数式＝SUMIF（Case1〜3のセル（行・列ともに絶対参照）、選択ケース

のセル（行・列ともに絶対参照）、各 Case の前提条件のセル）

なお、同様のことは、CHOOSE、VLOOKUP などの関数でも行うことができます。

図表5-2　シナリオ分析② 各シナリオに切り替える「スイッチ」を準備する

	選択ケース		ケース別前提条件		
追加		Case 2	Case 1	Case 2	Case 3
	出店・設備投資に関する前提条件				
	新規出店／年	80	70	80	60
	退店／年	20	20	20	20
	設備投資／新規出店（百万円）	32.0	37.0	32.0	42.0
	改修／既存店舗（百万円）	1.2	1.2	1.2	1.2
	その他設備投資（百万円）	352	352	352	352
	店舗オペレーションに関する前提条件				
	店舗あたり客数／日	320	310	320	290
	客単価（円）	900	890	900	870
	1人あたり人件費（百万円）	3.7	4.3	3.7	4.5
	従業員数／店舗（人）	7.0	7.2	7.0	7.4
	損益計算書に関する前提条件				
	原価率(%)	33.0%	33.5%	33.0%	34.0%
	賃借料／店舗（百万円）	15.0	15.5	15.0	16.0
	減価償却費／1店舗（百万円）	3.9	3.9	3.9	3.9
	その他費用（百万円）	831	831	831	831
	税率(%)	40.0%	40.0%	40.0%	40.0%
	貸借対照表に関する前提条件				
	売上債権／売上(%)	0.7%	0.7%	0.7%	0.7%
	棚卸資産／売上(%)	3.9%	3.9%	3.9%	3.9%
	買入債務／材料費(%)	11.2%	11.2%	11.2%	11.2%
	キャッシュフローに関する前提条件				
	毎年の支払配当金（百万円）	530	530	530	530
	その他キャッシュフロー（百万円）	161	161	161	161

SUMIF関数を使って、選択ケースの中の数字を変えれば、引っ張ってくる数字が変わるように計算式を組む。具体的には以下の通り。
=SUMIF（Case1～3のセル、選択ケースのセル、各Caseの前提条件のセル）

こうすることで、選択ケースを変えるたびに、財務モデル本体にリンクし

ている前提条件がすべて揃って変わることになります。この例でいえば、Case1を選べば、「新規出店」から「その他キャッシュフロー」まですべてCase1の数字になり、Case2、Case3を選べば、それらがすべてCase2、Case3の数字になります。そして、それぞれのケースで想定している前提条件に応じて、財務予測の数値はすべて変動します。

■ シナリオ分析のポイント

作成するシナリオ（ケース）は、あまり多くしすぎないことです。というのも、シナリオを多く作成すると、「調べている感」はして安心するかもしれませんが、シナリオの数が増えると、その分個別のシナリオについて深く考える時間が減ってしまうためです。

大抵の場合には、シナリオは次の3つで良いでしょう。

①ベースケース：一番蓋然性が高いと思われるケース
②アップサイドケース：ベースケースよりも楽観的なもの
③ダウンサイドケース：ベースケースよりも悲観的なもの[11]

それぞれのケースは、誰が聞いても納得感のあるストーリーとして語れるようにしましょう。具体的には、前提条件の数値の違いを単なる数値の違いとして説明するのでなく、その数値の裏にどのようなビジネス上のシナリオが存在しているのかについて語れるようにすることです。

マクロ経済状況や各種施策の効果などとともに前提条件の数値を決めれば、将来の結果がモデルの予測とずれた場合に、どの想定がいかに誤っていたのかがわかるようになります。

---

[11] ダウンサイドケースについて、少し俗なコメントを付け加えておきます。ダウンサイドケースについては、あまりにも楽観的すぎると周囲からは「本当か？」と怪しまれますし、悲観的すぎても「最悪の場合にこうなる可能性があるのであれば、本件はやるべきでない」という意見が噴出することになります。ダウンサイドケースには、「最悪でもこれ以上は数字を悪くさせない」という意思も反映するのが良いでしょう。

Point 2 感度分析

▰ どの前提条件が、どれくらいのインパクトをもたらすか？

　感度分析とは、前提条件の細かい変化に伴う会社の財務パフォーマンスの変化を示す分析です。感度分析ができるようになれば、どの前提条件が会社の業績に対してどの程度大きなインパクトをもたらしうるのかがわかってきます。

　第3章で、下記のような表を紹介しましたよね（89ページ参照）。売上成長率と営業利益率が少しずつ変化したら、営業利益がどのようになるのかを示す表です。

図表5-3　図表3-4の再掲

場合別の営業利益
単位：千円

営業利益率	売上成長率				
	0%	5%	10%	15%	20%
5%	5,000	5,788	6,655	7,604	8,640
10%	10,000	11,576	13,310	15,209	17,280
15%	15,000	17,364	19,965	22,813	25,920
20%	20,000	23,153	26,620	30,418	34,560

　財務モデルがすべて数式でつながっているからこそ、大掛かりなモデルであってもこういった感度分析を行うことができます。なお、感度分析は英語

では Sensitivity Analysis といい、仕事では「センシティビティ」と略して呼ばれることが多いです。

■ 感度分析の方法

たとえば、新規出店数と店舗あたりの1日の客数を変数として感度分析をしたいとしましょう。知りたい数字が5年後の現金残高であれば、次のようにします。

まず、イメージしている表の枠を作りましょう。横軸に新規出店数をベタ打ちで並べ、縦軸には店舗あたりの客数を並べます（なお、縦軸と横軸は逆でもまったく問題ありません）。

図表5-4 感度分析① データテーブルの枠を作る

客数/店舗	新規出店数				
	60	65	70	75	80
280					
290					
300					
310					
320					
330					

次に、表の左上に、知りたい数字をリンクさせます。今回の例では5年後の現金残高ですので、5年後の現預金残高をリンクさせます。

図表5-5 感度分析② データテーブルの枠の左上に分析対象となるセルをリンクさせる

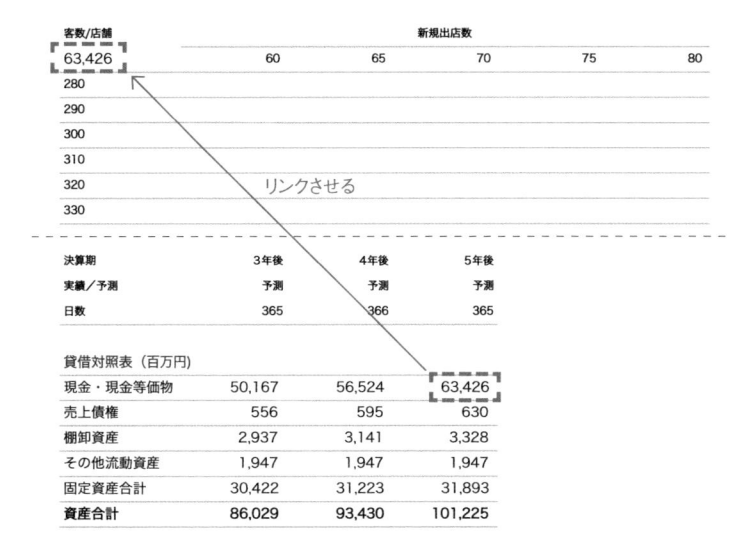

客数/店舗		新規出店数			
63,426	60	65	70	75	80
280					
290					
300					
310					
320	リンクさせる				
330					

決算期	3年後	4年後	5年後
実績／予測	予測	予測	予測
日数	365	366	365
貸借対照表（百万円）			
現金・現金等価物	50,167	56,524	63,426
売上債権	556	595	630
棚卸資産	2,937	3,141	3,328
その他流動資産	1,947	1,947	1,947
固定資産合計	30,422	31,223	31,893
資産合計	**86,029**	**93,430**	**101,225**

　リンクを終えたら、テーブルのエリアを選択します。そして、この選択した状態のまま、「データ」→「What if分析」→「データテーブル」を選択します。

図表5-6 感度分析③

選択した状態で、データ→「What if分析」→「データテーブル」をクリック

客数/店舗		新規出店数			
63,424	60	65	70	75	80
280					
290					
300					
310					
320					
330					

　そうすると、データテーブルのダイアログが表示されますので、「行の代入セル」には、新規出店数に関する前提条件のセルを選び、「列の代入セル」

には店舗あたり客数に関する前提条件のセルを選びます。

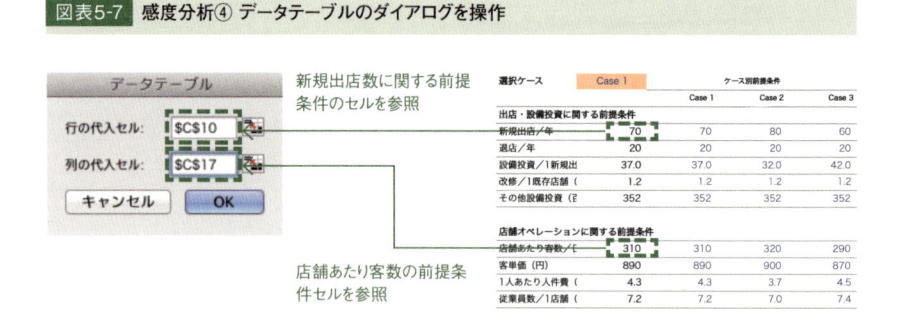

図表5-7 感度分析④ データテーブルのダイアログを操作

最後に、リンクするために必要だった左上の数字は混乱を招くので、字色を白にして見えないようにすると、図表5-8のような表が完成します。

図表5-8 感度分析⑤ データテーブルによるセンシティビティ分析結果

客数/店舗	新規出店数				
	60	65	70	75	80
280	49,661	49,281	48,901	48,521	48,141
290	54,342	54,042	53,743	53,443	53,144
300	59,023	58,804	58,585	58,366	58,147
310	63,703	63,565	63,426	63,288	63,149
320	68,384	68,326	68,268	68,210	68,152
330	73,065	73,087	73,110	73,132	73,155

このように、変数が少しずつ変わるたびに、知りたい数字がどのように変化するかを示してくれるデータテーブルを用いた感度分析は、どの前提条件がどれくらい大きなインパクトをもたらすのかを知るために非常に役立ちます。

なお、今回の例では、行と列の2軸を用いた感度分析を紹介しましたが、行だけ、もしくは列だけの1軸での感度分析を行うことも可能です。

Point 3 感度分析の便利なテクニック

感度分析をより多様に使いこなすための、二つのテクニックを紹介しましょう。

①表示形式の活用

セルの書式設定のダイアログ（ショートカットは Ctrl & 1 でしたね）を開き、「表示形式」から「ユーザー定義」を選ぶと、数値の表示形式を変更することができます。この表示形式は「数値に対して着せる服」のようなもので、値そのものは変わらないものの、セルの見た目が変わるようになります。

図表5-9　表示形式の活用

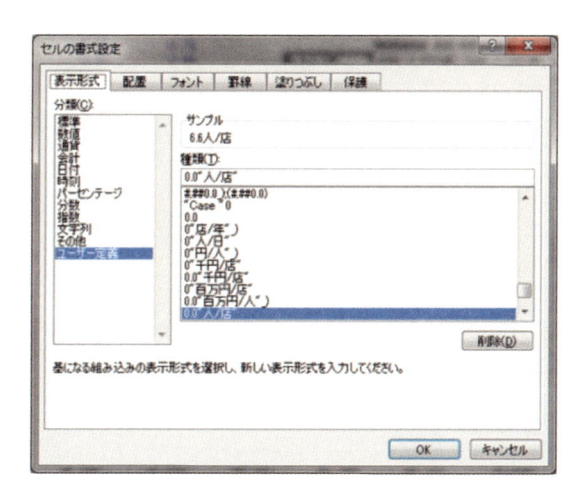

第5章｜財務モデルを使った分析

ユーザー定義の表示形式の例は、次のようなものです。より細かく知りたい人は、ウェブで検索するか、分厚い解説書を開いてください。

図表5-10　ユーザー定義の表示形式の例

値	表示形式の定義	セルの見た目
0.01	0.0%	1.0%
1000	0,000	1,000
40179	yyyy/mm/dd	2010/01/01
50	0"店舗"	50店舗
6.6	0.0"人 / 月"	6.6人 / 月
1000	0,000"億"	1,000億

　今回の例で、ユーザー定義の表示設定を活用すると、「60」という値が「60店 / 年」と、「280」という値が「280人 / 日」と表示されます。このようにすると、感度分析の表がより見やすくなります。

図表5-11　表示形式を変更させることで作ったデータテーブル

客数/店舗	新規出店数				
	60店/年	65店/年	70店/年	75店/年	80店/年
280人/日	49,661	49,281	48,901	48,521	48,141
290人/日	54,342	54,042	53,743	53,443	53,144
300人/日	59,023	58,804	58,585	58,366	58,147
310人/日	63,703	63,565	63,426	63,288	63,149
320人/日	68,384	68,326	68,268	68,210	68,152
330人/日	73,065	73,087	73,110	73,132	73,155

値：60～80
表示形式：0"店/年"

　なお、表示形式の変更ではなく、直接表の中に「60店 / 年」とタイプすると、これは数値ではなく文字列ですので、データテーブルは次のようにエラーとなりますので、注意してください。

図表5-12 表示形式の変更を使わずに作ったデータテーブル

客数/店舗	新規出店数				
	60店/年	65店/年	70店/年	75店/年	80店/年
280人/日	#VALUE!	#VALUE!	#VALUE!	#VALUE!	#VALUE!
290人/日	#VALUE!	#VALUE!	#VALUE!	#VALUE!	#VALUE!
300人/日	#VALUE!	#VALUE!	#VALUE!	#VALUE!	#VALUE!
310人/日	#VALUE!	#VALUE!	#VALUE!	#VALUE!	#VALUE!
320人/日	#VALUE!	#VALUE!	#VALUE!	#VALUE!	#VALUE!
330人/日	#VALUE!	#VALUE!	#VALUE!	#VALUE!	#VALUE!

値：60店/年～80店/年
表示形式：特になし

②TEXT関数および「&」と「" "」の活用

データテーブルの左上には、リンク以外のものを表示させることも可能です。

ここで利用すると便利なのがTEXT関数です。第2章で述べたようにTEXT関数は、ユーザー定義の書式設定でやったことと同じような文字列操作ができるようになります。同様に数式の「&」と「" "」を使うとさらに表現の幅が広がります。

例を出したほうがわかりやすいので、実際に見てみましょう。たとえば、あるシートのセルB2に「きみ」という文字が、セルC2に「10」という数値があります。

図表5-13 ""と&の使い方①

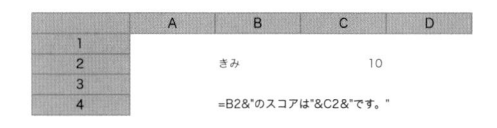

	A	B	C	D
1				
2		きみ	10	
3				
4		=B2&"のスコアは"&C2&"です。"		

この状態で、次のように数式を打ちます。

数式＝B2 & " のスコアは " & C2 & " です。"

こうすると、結果として「きみのスコアは10です。」と表示されることになります。

図表5-14 ""と&の使い方②

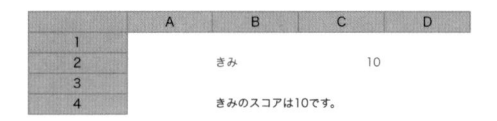

	A	B	C	D
1				
2		きみ		10
3				
4		きみのスコアは10です。		

ここで、「きみ」と「10」を「あなた」と「8」に変えると、式の結果は自動的にこの変更を反映してくれます。

図表5-15 ""と&の使い方③

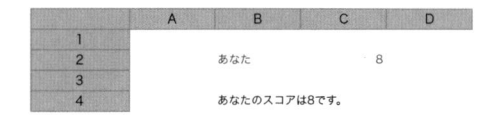

	A	B	C	D
1				
2		あなた		8
3				
4		あなたのスコアは8です。		

このように、式での「&」は様々な要素をつなげてくれます。そして、引用符「" "」を使うことによって、その間に文字列を入れることができるようになります。この「&」と「" "」とさらにTEXT関数を使えば、たとえ

図表5-16 TEXT関数、""、&を組み合わせた感度分析

客数/店舗	新規出店数				
	60店/年	65店/年	70店/年	75店/年	80店/年
280人/日	-34% / 497億	-32% / 493億	-30% / 489億	-28% / 485億	-26% / 481億
290人/日	-19% / 543億	-16% / 540億	-14% / 537億	-11% / 534億	-9% / 531億
300人/日	-3% / 590億	0% / 588億	3% / 586億	5% / 584億	8% / 581億
310人/日	12% / 637億	16% / 636億	19% / 634億	22% / 633億	26% / 631億
320人/日	28% / 684億	32% / 683億	35% / 683億	39% / 682億	43% / 681億
330人/日	43% / 731億	48% / 731億	52% / 731億	56% / 731億	60% / 732億

=TEXT(5年後利益成長率のセル、"0% ")&"/"TEXT(5年後現預金のセル/100、"0億")

ば、次のような感度分析を行うことも可能です。

　この例では、利益増減と5年後の現預金をTEXT関数を用いながら、％、億で表示するとともに、＆と" "を用いて、間に「 / 」を挟み込んでいます。具体的には、次のような式を使っています。

＝TEXT（5年後利益成長率のセル、"0%"）＆" / "＆TEXT（5年後現預金のセル/100、"0億"）

　このように、数式で「＆」と「" "」およびTEXT関数を組み合わせることで、様々な表示をすることが可能であり、データテーブルを用いた感度分析をよりわかりやすく、多様なものにしてくれます。

　なお、TEXT関数と「＆」と「" "」は、Excelを用いて様々な定型文を作るときにも便利な役割を果たしてくれますので、是非活用してみてください。

■ 財務モデルを分析してわかること

　財務モデルを使ってこういった分析ができるようになれば、次のようなことが可能になります。

・この会社が赤字転落するケースを作成し、そういうケースでは具体的にどういうことが生じているのかを前提条件とともに明確に語る
・店舗あたり売上の増減率と、営業利益率の対応関係を示す
・データテーブル機能を使って、本書で紹介した3ケースにおける5年平均営業利益が常に確認できるようなモデルを組む

Point 4 感度分析を用いてアクションプランを練る

■ 感度分析の実践例

最後に、感度分析が実際にどう用いられるかについて、一例を紹介しておきましょう。

たとえば、データテーブルで列だけを用いれば、各種KPIの変化について次のような分析ができるようになります。これは、将来期間の平均利益率と現金増加額について、店舗あたり客数、客単価、店舗あたり賃料、店舗あたり従業員数についてデータテーブルを作った後に、各種KPIの1単位あたりのもたらすインパクトをそれぞれの表の一番下につけたものです（ハイライトされている行がそれにあたります）。

図表5-17 各種KPIの変化がもたらすインパクトのまとめ

店舗あたり客数	平均利益率	現金増加額
当初想定	9.2%	28,310
280人/日	5.9%	13,785
290人/日	7.1%	18,627
300人/日	8.2%	23,469
310人/日	9.2%	28,310
320人/日	10.2%	33,152
330人/日	11.1%	37,994
10人あたり	1.0%	4,842

客単価	平均利益率	現金増加額
当初想定	9.2%	28,310
860円/人	8.2%	23,251
870円/人	8.5%	24,937
880円/人	8.9%	26,624
890円/人	9.2%	28,310
900円/人	9.6%	29,997
910円/人	9.9%	31,683
10円あたり	0.3%	1,686

賃料/店舗	利益増	現金
当初想定	9.2%	28,310
17.0百万円	8.3%	24,933
16.5百万円	8.6%	26,059
16.0百万円	8.9%	27,185
15.5百万円	9.2%	28,310
15.0百万円	9.5%	29,436
14.5百万円	9.8%	30,562
0.5百万円あたり	0.3%	1,126

従業員/店舗	利益増	現金
当初想定	9.2%	28,310
7.6人/店舗	8.3%	24,761
7.4人/店舗	8.8%	26,535
7.2人/店舗	9.2%	28,310
7.0人/店舗	9.7%	30,085
6.8人/店舗	10.1%	31,860
6.6人/店舗	10.6%	33,635
0.1人あたり	0.5%	1,775

財務モデルをきちんと作って事業計画を策定すると、事業上の施策の財務インパクトが可視化されます。これができることが、事業計画策定において財務モデルを用いることの最大の意義の1つでしょう。

■ 財務インパクトの可視化がもたらすもの

　財務インパクトが可視化されることによって可能になることの一例を紹介しましょう。

　たとえば、モデルを使って事業計画を作っている企業では、事業計画の議論をする際に、次のようなアクションプランリストを作成し、各種施策を実施すべきかどうかについて議論できるようになります。

図表5-18　XX年度事業計画における各種施策（例）

テーマ	施策	KPIへのインパクト KPI	変化額/率	5年計画におけるインパクト 平均利益率	現金増加額
売上増の施策の効果とその反作用	注文からデリバリーまでの時間を平均で3分短縮し、稼働率をアップさせる	来客数/日	+20人	+2.06%	+9,683百万円
	ドリンク注文が増えるように、アルコール飲料のレパートリーを増やす	客単価	+50円	+1.75%	+8,432百万円
	ドリンク注文が増えることによる顧客の長居に伴う稼働率の低下	来客数/日	−20人	−2.06%	−9,683百万円
	アルコール注文が増えることに伴う原価率の改善	材料費率	−1.0%	+0.61%	+2,295百万円
	高品質・高単価のメニューを増やす	客単価	+30円	+1.05%	+5,059百万円
小計				+3.40%	+15,787百万円
コスト削減の施策の効果とその反作用	セントラルキッチン方式を導入することにより、各店舗で必要な人員を削減	従業員数/店舗	−1.0人	+4.63%	+17,749百万円
	セントラルキッチンの導入費用	設備投資 減価償却費	100億円 毎年2.5億円	−4.78%	−10,000百万円
	タッチパネルを導入し、フロア人員がより少なくとも顧客対応ができるようにする	従業員数/店舗	−0.8人	+3.71%	+14,199百万円
	タッチパネル導入費用：300万円×800店舗	設備投資 減価償却費	24億円 毎年2.4億円	−3.44%	−2,400百万円
	賃料減額交渉を実施	賃料/店舗	−100万円	+0.60%	+2,251百万円
小計				+0.72%	+21,799百万円
合計				+4.12%	+37,586百万円

このアクションプランのリストを見ているとわかるように、企業の実施する打ち手の多くはトレードオフに直面しています。たとえばアルコール飲料の注文を増やす施策は、客単価や原材料費を改善させる一方で、それによって店に長居する人が増え、店舗あたりの来客数を下げるという副作用をもたらします。コスト削減施策にあるセントラルキッチンやタッチパネルの導入などは大規模な設備投資を伴うものであるため、大きな現金支出になるだけでなく、減価償却費の負担も大きくなります。

　このように、実際のビジネスにおける各種施策は常にトレードオフに接しているからこそ、その施策を実施すべきか否かを判断するためにはその施策のインパクトを数値化する必要があり、そのためにはモデルが役立つのです。

　なお、同じような分析はM&Aを実施する際にも行われます。買収先企業において各種施策を実施することにより、その企業の価値はどれくらい上がることが見込まれ、それは買収の対価に見合うものなのか、といったことが議論されるわけです。

　ここまでの分析をきっちりとできるようになれば、外資系金融の世界でも、一人前の一歩手前といえるでしょう。

第5章のまとめ

- シナリオ分析：複数の前提条件の列を作り、SUMIFなどの関数を用いて自由に切り替えられるシナリオを作成する。通常作成するシナリオは、ベースケース、アップサイドケース、ダウンサイドケースの3種類
- 感度分析：Excelのデータテーブル機能を用いて行う。これにより、どの変数が経営に大きなインパクトを持っているのかがわかりやすくなる
- 感度分析では、表示書式やTEXT関数の活用により、分析により幅を持たせることができる
- さらに感度分析を用いれば、主要前提条件のインパクトを踏まえた各種施策の論議が可能になる

# 第6章

モデル上級者に
なるためのヒント

財務モデルを駆使できるようになれば、会社の財務分析を様々な角度から行えるようになります。これだけビジネス書が出回っている現在においても、財務モデル作りはまだ世間ではほとんど普及していないスキルなので、きちんとしたモデルが回せるようになることは、あなたの人材としての希少性を高めてくれるかもしれません（少なくとも今のところは）。

とはいえ、第5章までを読んで手を動かしたとしても、まだモデル上級者のレベルには達していません。そこで、最後となるこの章では、モデル上級者になるためのヒントについてお話しします。

イントロダクション

　まず、「良い財務モデルとはどういったものなのか」についてお話ししておきましょう。よい財務モデルには、いくつかの特徴があります。最初のうちは何のことだかよくわからないかもしれませんが、この箇所は、モデルを自分で作れるようになってから、何度か読み返してください。

①見やすい
　第一に、良い財務モデルは一見してとてもきれいです。これは芸術的に美しいというわけではなく、すべての数字が理路整然と論理的に並んでいるため、上から下までを見れば必然的に何が行われているのかわかるということです。言うなれば、本書の第1章で述べた「見やすい表」の原則を守っているということです。
　私が最初の勤め先にいた時に、何度も上司から言われたことがあります。それは「解読を必要とするモデルを作るな。上から下までざっと眺めたら、どういう計算が行われているのかがすぐにわかるようなモデルを作れ」ということです。
　モデルが見やすいかのチェックは簡単です。作ったモデルをプリントアウトしたものを、電卓を用いて簡単に上から検算できるのであれば、それは見やすい財務モデルということができるでしょう。

②使いやすい
　次に、良いモデルとは、相手がモデル作成の経験者であれば、簡単に引き継ぐことができるモデルのことです。つまり、使いやすいモデルです。
　悪いモデルだとそうはいきません。悪いモデルはモデル作成上のポイント

（後に述べます）を守っていないため、他の人からすると非常に使いにくいものになっています。最悪の場合には、会社内で1人しかそのモデルを使いこなすことができないため、社内でのモデルを用いた作業がとても非効率になってしまうこともあります。

　良いモデルは、最初からそれを誰か他人に引き継いだり、他の人も使用したりすることを前提に考えて作成されています。だからこそ、誰にとっても使いやすい作りになるのでしょう。

③計算に過不足がなく、事業の本質を把握することができる

　良いモデルでは、過不足ない計算が行われています。個人的には、シンプルな事業を行っている企業であれば、様々な分析もすべて含めて、合計で300行くらいあれば主要な分析ができるようになっていることが理想であると思います。合計で300行でも長いと思う人もいるかもしれませんが、実際の仕事では、その10倍以上にもなるモデルが使われていることが珍しくありません。

　短ければ良いのではなく、過不足ない計算が行われていることが重要です。すなわち短いながらも、その事業の分析において必要な情報が必要なだけ含まれていることが大切です。

　ただし、比較的大きなサイズのモデルが必要なこともあるということを頭にとどめておいてください。たとえば、事業会社の月次の事業状況の把握に用いられるようなモデルであれば、レビューしなければいけないKPIが相当に細かいものになることもしばしばあります。

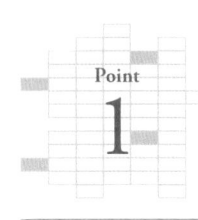

Point 1 良いモデルを作るための5つのポイント

■ ①1行、1計算ステップ

印刷して見た時に、電卓片手にレビューできるモデル、すなわち、それぞれの計算ステップを思い浮かべることができるようにするモデルを作ることをこころがけましょう。下の図表6-1は悪い例です。

図表6-1　電卓でレビューしにくいモデル

電卓を片手にレビューしにくいモデル

	1年後	2年後	3年後
店舗あたり客数（百万人）	4	4	4
客単価	500	500	500
新規出店	30	30	30
退店	20	20	20
売上（百万円）	190,000	210,000	230,000

それぞれの計算ステップがわかりにくい

???

売上 ← 顧客数／客単価／出店数／退店数

先に、「モデルは簡潔であるのが良い」と書きましたが、それは決して計算のステップを省略することではないということを強調させてください。

図表6-2が、良い例です。こういったモデルを作るためにも、1つの行では1つの計算ステップを示すのが良いでしょう。

図表6-2　電卓でレビューできるモデル

電卓を片手にレビューできるモデル

	1年後	2年後	3年後	
店舗あたり売上（百万円）	2,000	2,000	2,000	---①
店舗あたり客数（百万人）	4	4	4	
客単価	500	500	500	
新規出店	30	30	30	
退店	20	20	20	
期末店舗数	100	110	120	---②
期中平均店舗数	95	105	115	---③
売上（百万円）	190,000	210,000	230,000	---④

それぞれの計算ステップを追いかけることができる

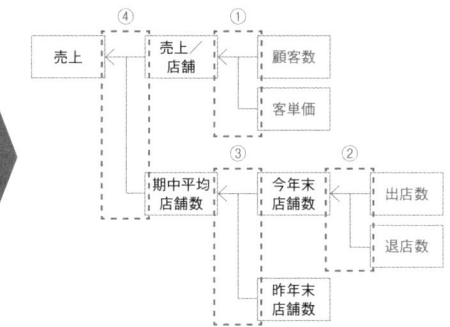

（④ 売上 ← ① 売上／店舗 ← 顧客数、客単価）
（③ 期中平均店舗数 ← ② 今年末店舗数 ← 出店数、退店数、昨年末店舗数）

②字色のルールを守る

　使いやすいモデルを作るためには、本書で何回か述べてきた字色ルールを徹底して守るようにしましょう。インプットは青字、数式は黒字、他のセクションやシートからのリンクは必要に応じて緑字にすることです。

③シンプルな数式を使う

　数式は可能な限り短く、よく知られたものを使い、レビューしやすいものにします。というのも、長すぎる数式は、他の人が解読するのにかなり時間がかかるだけでなく、数式が間違っていた際にそれを修正するのが困難になるためです。すなわち、長く難解な数式でできているモデルは、「使いにくいモデル」なのです。

　長すぎる数式は、数式の作り込みに慣れてきた中級者がよく犯しやすい間違いです。しかも、この誤りは、先に述べた計算ステップを分解していないことによることも少なくありません。自分が鍛えた能力をフルに使ってみたい気持ちもわかりますが、使いやすいモデルはシンプルであるということを忘れないでください。

また、使いやすいモデルにするために、1つの行で使われる数式は1種類にするべきです。すなわち、1つのセルで作った数式は、左右のセルにコピー＆ペーストできるものにしておくべきだということです。例外は、実績値と予測値の境目で、ここはどうしても異なる式を使う必要がでてきます。モデルが複雑化し、大きくなっていけばいくほど、この原則を守ることは重要になってきます。というのも、大きなモデルにおいて数式が途中で変わっていることを見つけるのは困難なためです。

どうしても同じ行の中で違う式を使う必要がある場合には、その箇所だけ明示的に示したほうがよいでしょう。たとえば、色をハイライトするなどの工夫を行うことにより、初めてそのモデルを操作する人もミスをしないようになります。

④数式の中にベタ打ちを入れない

先に述べたことにつながるものですが、数式の中には一切のベタ打ちがないようにしましょう。唯一の例外は、桁を変えるための掛け算、割り算だけです。なぜこの点が必要かというと、ある1つのセルだけにベタ打ちの数値が入っていたら、それを誤って将来期間にわたってコピー＆ペーストしても気づきにくいからです。

⑤必要以上にブレークダウンを作らない

簡潔なモデルを目指すためには、モデルを必要以上にブレークダウンしないようにしましょう。

細かい点を妥協してもよいというわけではありません。神は細部に宿るというのは、世界中の良い仕事に共通する真理だと思います。

しかし一方で、細部にこだわりすぎることは、重要な論点について熟考する時間を失ってしまうリスクと隣り合わせであることを理解しておくべきでしょう。私たちは24時間しか有していません。睡眠その他の時間を含めると、集中して働くことができるのはせいぜい16時間くらいです。限られた

時間でより正確な予測をするためには、モデルを細かく作り込む時間と、インプットの妥当性を検証するための時間の配分を適正なものにするべきでしょう。

情報を足すのは根気があればできますが、要素を絞り込むためにはその事業に対する理解と抽象的な思考能力、ディテールにこだわりすぎない勇気が必要です。時間が無限と思い込み、根気に頼ろうとするのではなく、物事の本質に迫ろうとする意気と勇気を持ちたいものです（特に、上司がそのような気質を持つ必要があります）。[*12]

過不足のないモデルを作ろうと意識しながら仕事をするうちに、よりシンプルなモデルが作れるようになります。

[*12] よくあることですが、いくらシンプルなモデルを作っても上司が「ディテールマニア」である場合、彼（彼女）の指示によりモデルはどんどん複雑化していきます。

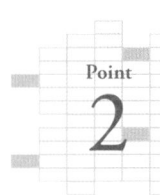

Point 2 モデル作成時の三大トラブル対策

　モデル上級者になるためには、トラブルシューティングに習熟することも必要になります。ここでは、数多くのモデル初心者を泣かせてきた三大トラブルと、その対処法についてお話ししましょう。

　なお、トラブルシューティングは、自分で何度もそれを行うことで上達するものであって、本書で書いてあることはヒント程度に考えておいてください。

■ トラブル① バランスしないバランスシート

　財務三表をリンクさせるのは、簡単なことのように思えるかもしれません。会計などの教科書では、三表がつながるのは当たり前のことであるかのようにいわれています。

　しかし、実際問題としてExcelで財務モデルを作ろうとすると、慣れないうちには三表を連動させることにかなり苦労をします。モデル初心者の頃には、「バランスしないバランスシート（BS）」の原因を探すために悪戦苦闘し、気がついたら夜が明けていた、なんてことも時には起こります。

　バランスシートがバランスしない主な理由は、たとえば次のようなものです。

・非キャッシュの損益（たとえば、固定資産の評価損など）がキャッシュフロー計算で足し戻されていない
・運転資本の増減がキャッシュフロー計算にきちんと反映されていない
・PL項目のうち、資産や負債の額を落とすもの（たとえば減価償却費など）

が、資産・負債の予測額作成に反映されていない
・モデルの中に計上ベースの支出と、支払ベースの支出が混じっている

　どこが誤っているかを見つけるためには、次のような方法を試してみればいいでしょう。

・BSの差額に「心当たりが無いか」確認してみる
　たとえば、BSの差額が、減価償却費と同額であれば、減価償却費の計算と関連して何かが抜けている可能性が高いです。ただし、この方法は、誤りが複数ある場合には有効ではありません。

・比較表を作成し、前提条件を動かしてみる
　第4章のPoint 5で紹介したモデルの比較表を作成した後に、前提条件をあれこれと変更させてみます。そうすると、BSの差額を変化させる前提条件と、変化させない前提条件が見つかりますので、差額を変化させる前提条件と関連した間違いがないか確認していきます。たとえば、従業員数を変えたら差額が増減するような場合は、人件費に関連した計算のどこかに誤りがあるはずです。

・差額を2で割ってみる
　BSの資産に入るべき項目が負債に入っている（もしくはその逆）、符号を間違えているようなケースにおいては、BSの差額は2倍になります。なので、BSの差額を2で割ってみたら、見覚えのある数字に出くわすかもしれません。

・差の傾向に着目する
　差が拡大していく場合にはPLをBSやCFにつなげる過程で間違いが発生している可能性が高いです。というのも、モデル上では多くのPL項目は一定の水準で推移し続けるため、それをBSやCFに流し込む際に誤りがあれば、本来の値からの誤差はどんどん拡大していくはずだからです。一方

で、差が同じ水準で推移しているのであれば、BS におけるワンポイントの
ミスである可能性が高いといえます。

　なお、三表を連動させる計算において複数の誤りがある場合には、1つの
誤りを直した後に BS の差額が拡大するようなケースもあります。そういっ
た場合には、修正した内容が正しいのか不安になりますが、その不安に打ち
克つ勇気を持ちましょう。

■ トラブル② REF！エラー

　モデルの作業をしていて、無駄だと思った行や列を消すと、REF！エラー
が出てくることがあります。このエラーは、削除したセルの中に、どこか他
のセルから参照していたセルが残っている場合に起こります。すなわち、
REF！エラーとは「参照（Reference）先が消失してしまったこと」を示す
エラーというわけです。

図表6-3　REF！エラー

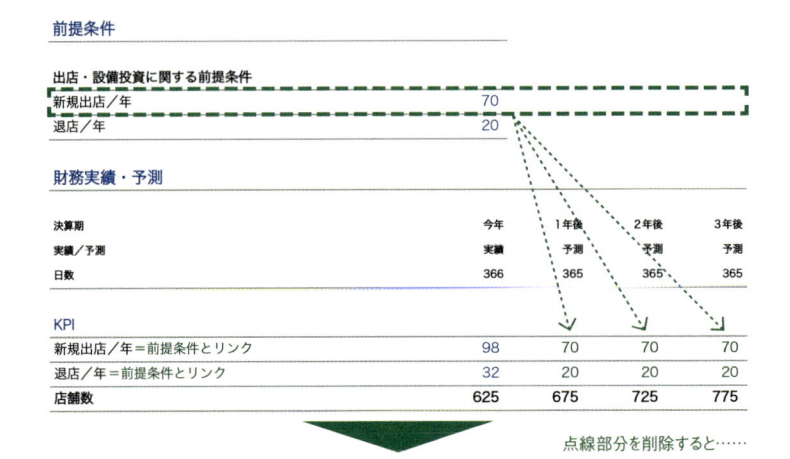

前提条件

出店・設備投資に関する前提条件
新規出店／年	70
退店／年	20

財務実績・予測

決算期	今年	1年後	2年後	3年後
実績／予測	実績	予測	予測	予測
日数	366	365	365	365

KPI

新規出店／年＝前提条件とリンク	98	70	70	70
退店／年＝前提条件とリンク	32	20	20	20
店舗数	625	675	725	775

点線部分を削除すると……

財務実績・予測

決算期	今年	1年後	2年後	3年後
実績／予測	実績	予測	予測	予測
日数	366	365	365	365
KPI				
新規出店／年＝前提条件とリンク	98	#REF!	#REF!	#REF!
退店／年＝前提条件とリンク	32	#REF!	#REF!	#REF!
店舗数	625	#REF!	#REF!	#REF!

REF!になる

　REF！エラーは、関連するすべてのセルに波及していきますので、モデルのように多くの数式で組み立てられている表は、1つのREF！エラーがあるだけで、REF！だらけになります。

　モデルが複雑になってくると、いったんREF！エラーが出てきたときにその原因を追いかけるのは容易ではありません。一番良い方法は、モデルで行や列を削除する場合には、必ず事前にファイルを別名で保存することです。そして、REF！エラーが出たら、ファイルを保存せずに閉じ、どこで参照がされているのかを、「数式」→「参照先のトレース」で確認することです。REF！エラー対策としてだけではなく、モデルはこまめにセーブするようにしましょう（Excelのオプションから自動保存の設定ができます）。特に大きなモデルでは、計算時にExcelがフリーズし、数時間の作業がムダになってしまうことも少なくありません。

■ トラブル③ 循環参照

　モデルを組んでいると、ときどき循環参照になることがあります。循環参照とは、セルAがセルBを参照し、セルBがセルCを参照しているのに、セルCがセルAを参照しているような計算がされていることです。

　たとえば、ある会社の役員報酬は「最終的な営業利益の10％にする」として決まっているとしましょう。このときに、次のような計算式を組んだらどうなるでしょう。

図表6-4　循環参照① 循環参照を起こす式

	A	B	C	D
1				
2		役員報酬前の利益	100.00	
3		役員報酬	=C4*10%	
4		営業利益	=C2-C3	

　循環参照を起こしてしまい、結果がきちんと表示されないようになりました。

図表6-5　循環参照②

	A	B	C	D
1				
2		役員報酬前の利益	100.00	
3		役員報酬	0.00	
4		営業利益	0.00	

　モデルが複雑になっていくと、負債の返済スケジュールやキャッシュの計算などでよく循環参照が起こります。循環参照が生じたときには、2つの対処の仕方があります。

対処法1：数式を修正する

　ベストなのは、数式を書き換えることによって、循環参照そのものを無くすことです。一部では、「多くの場合、循環参照はどうしても生じてしまう」と信じられているようですが、それは誤りです。よほど特殊な場合でない限り、循環参照は無くすことができます。

　たとえば、今回の例ではどのようにしたら循環参照を無くせるでしょうか。答えは、紙と鉛筆を使って、代数の計算をしてみることです。そんなに複雑なことではなく、小学校で習うような計算をするだけで、なんとかなる

ことも少なくありません。

　実際に、今回の問題を手で書いてみると、次のようになるでしょう。

営業利益＝役員報酬前の利益－役員報酬　…　(1)式

　かつ

役員報酬＝営業利益×10%　…　(2)式

　ここで、(2)式を(1)式に代入すれば、結果は次のようになります。

営業利益＝役員報酬前の利益－営業利益×10%

　よって、

営業利益(1+10%)＝役員報酬前の利益

　よって、

営業利益＝役員報酬前の利益÷(1+10%)＝役員報酬前の利益÷1.1

　この結果を元に、Excelには次のように式を入力します。

図表6-6　循環参照③ 循環参照しないように式を変更

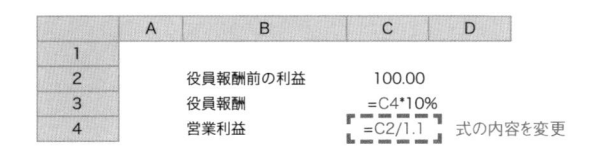

	A	B	C	D
1				
2		役員報酬前の利益	100.00	
3		役員報酬	=C4*10%	
4		営業利益	=C2/1.1	式の内容を変更

そうすれば、循環参照はしないので、結果がきちんと表示されることになります。

図表6-7 循環参照④解決後

	A	B	C	D
1				
2		役員報酬前の利益	100.00	
3		役員報酬	9.09	
4		営業利益	90.91	

　私がこれまで仕事をしてきた上で直面したすべての循環参照は、この要領で外すことができました。もしかしたら、どうしても外せない循環参照があるのかもしれませんが、それはよほど少数だと思われます。

対処法２：反復計算をさせる
　先に述べたように、財務モデルで行う計算のほぼすべては、計算式を修正することにより循環参照を回避させることができますが、あまりにも式が複雑で難しい場合や時間がない場合などは、Excelにある反復計算機能を用いることで解決させます。これは、PCが何度も計算を行いながら、循環参照されているセルにおいて「つじつまの合う」結果に近づけるというものです。

　Excelのオプションから（ショートカットはAlt → T → O）、「数式」を選び、「計算方法の設定」で「反復計算を行う」を選択します（図表6-8）。

　この例では、反復計算回数は100回ですので、Excelは、役員報酬と営業利益の式が循環参照しているとしても、両者が矛盾しない値を探して、100回試行錯誤をしてくれます。結果として、簡単な計算であれば、きちんと値が出るようになります（図表6-9）。

図表6-8 反復計算①反復計算を設定する

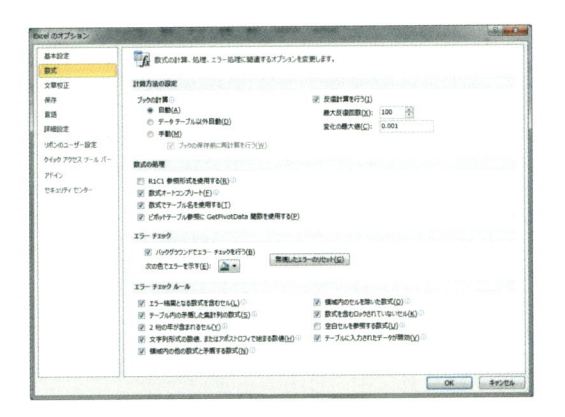

図表6-9 反復計算②反復計算実施後

	A	B	C	D
1				
2		役員報酬前の利益	100.00	
3		役員報酬	9.09	
4		営業利益	90.91	

　しかし、より複雑なモデルになると、反復計算を多くしても、結果が収束しない場合がありますし、また、反復計算を許容するとモデルの動きも遅くなりますので（特に、データテーブルを使うととても重くなる）、なるべく反復計算を行わないように数式を修正するのが望ましいでしょう。

第6章｜モデル上級者になるためのヒント　183

第6章のまとめ

- 良いモデルの特徴は、「表が説明を要しないほどに見やすいこと」「そのモデルで作業していなかった人でもすぐに使えること」「計算に過不足がなく、事業の本質を把握することができること」の3つである
- 見やすいモデルを作るためには、「見やすい表」の原則を守りつつ、「1行、1計算ステップ」とすること。使いやすいモデルを作るためには、字色ルールを守り、数式はレビューしやすいものにし、途中で式を変えず、ベタ打ち禁止にすること。計算に過不足がないモデルを作るためには、必要以上にブレークダウンをしないこと
- モデル作成における三大トラブルの一つめは、バランスシートがバランスしないこと。トラブルシューティングの方法としては、「BSの差額に『心当たりが無いか』確認してみる」「比較表を作成し、前提条件を動かしてみる」「差額を2で割ってみる」「差の傾向に着目する」などの方法がある
- モデル作成における三大トラブルの二つめはREF！エラー。実際にREF！エラーが生じてから修復するのは大変なので、モデルで行や列を削除する場合には、必ず事前にファイルを別名で保存することが最善策
- モデル作成における三大トラブルの三つめは循環参照。紙と鉛筆で代数の計算をして解くのが最善だが、それが難しい場合にはExcelの反復計算機能を用いること

おわりに

　本書を最後まで読んでくださり、有難うございました。
　この本には、私がこれまでの仕事を通じて身につけたExcel技術の全てを（マニアックなものを除き）、わかりやすく織り込むように努力しました。
　特に苦労したのが、第2部における財務モデルの作成方法です。財務モデルの組み方を、一緒にスクリーンを見ながら教えるのではなく、本という媒体で説明するのは予想以上に大変な作業でした。それでも、モデル作成のスキルがきちんとした本になることの社会的意義を考えると、このパートを外すことができませんでした。本書がその目標を達成できたかどうかは、読者の皆様の評価を仰ぎたいと思います。

　ほとんどのビジネスは、発想の素晴らしさのみならず、その発想を支えるロジックの積み重ねによって花開きます。本書が目指したのは、その積み重ねの重要な構成要素である「数字の積み重ね」の方法論の一つをお伝えすることでした。

　国内外の貧困削減を追い求め、投資の本業の傍で仲間と創立した認定NPO法人Living in Peaceの活動を通じて痛切に感じていることは、企業の健全な成長なしに様々な社会課題は解決されにくいということです。国内における子どもの貧困拡大は景気低迷とリンクしているということを、私はNPOの活動を通じて学びました。
　この気付きが、私が投資プロフェッショナルとして、企業の成長をお手伝いするモチベーションの一つとなっています。本書でお伝えした「数字の積み重ね」のスキルが、より多くの企業の成長・発展につながりますことを、心からお祈りする次第です。

2014年2月1日 成田空港にて

慎 泰俊

巻末付録

1. 基本ショートカット (Mac版では特に記載のない限りctrl→⌘)

コピペ関係

キー	機能	覚え方
Ctrl & C	コピー	CopyのC
Ctrl & X	カット	Xはハサミのかたち
Ctrl & V	貼り付け	二本指(V)でものを貼り付ける

文字列関係

キー	機能	覚え方
Ctrl & B	太字にする	BoldのB
Ctrl & I	斜体字にする	ItalicのI
Ctrl & U	下線をひく	UnderlineのU

ファイル操作関係

キー	機能	覚え方
Ctrl & S	保存する	SaveのS
Alt & F4	アプリケーションを終了する	Mac版では⌘ & Q (QuitのQ)
Ctrl & W	ウィンドウを閉じる	WindowのW
Ctrl & O	ファイルを開く	OpenのO
Ctrl & N	新規作成	NewのN

検索・置換

キー	機能	覚え方
Ctrl & F	検索する	FindのF
Ctrl & H	置換する	チカンはエッチ(H)

その他

キー	機能	覚え方
Ctrl & P	プリント	PrintのP
Ctrl & A	全てを選択	AllのA

2．特選ショートカット　(Mac版では特に記載のない限りctrl→⌘)

キー	内容
Ctrl & Z	やり直し
Ctrl & Y	同じ操作を反復(F4でも代替可能)
Ctrl & 1	書式設定ダイアログを開く
F2	セルの編集モード(Mac版：ctrl & U)
Ctrl & Page-Up	右のシートに移動(Mac版：⌘ & fn & ↑)
Ctrl & Page-Down	左のシートに移動(Mac版：⌘ & fn & ↓)
Ctrl & Tab	開いている他のエクセルに移動(Shiftも同時押しで逆戻り)(Mac版：⌘ & Tab)
Alt & Tab	他のファイル・アプリケーションに移動(Mac版：⌘ & Tab)
Ctrl & Space	列の選択(Mac版：ctrl & Space)
Shift & Space	行の選択(Mac版：shift & Space)
Ctrl & ＋	(選択した後に)行・列の追加(Mac版：ctrl & I)
Ctrl & －	(選択した後に)行・列の削除(Mac版：ctrl & K)
Windows & D	全ウィンドウを最小化・元に戻す(Mac版：fn & F11)
Windows & E	マイコンピューターを開く(Mac版：⌘ & shift & H)
Windows & L	PCをロックする
Alt & F4	終了する

3. 財務・経営企画の仕事でよく用いる関数リスト

関数名	機能	用途
MAX	最大値を求める	同業他社数値の最大値を求めるときに
MIN	最小値を求める	同業他社数値の最小値を求めるときに
MEDIAN	中央値を求める	同業他社数値の中央値を求めるときに
SUMPRODUCT	選択したセルの掛け算の合算	加重平均をするときに
SUMIF	条件に一致するセルを合算	ある項目の合計値を計算するときに
COUNTIF	条件に一致するセルの数を返す	ある項目がいくつあるかを数えるときに
VLOOKUP	条件に一致する値を返す	列にあるID番号に該当する値を探すときに
HLOOKUP	条件に一致する値を返す	行にあるID番号に該当する値を探すときに
ASC	全角文字を半角文字に変える	データの全角・半角を統一するときに
JIS	半角文字を全角文字に変える	データの全角・半角を統一するときに
REPT	特定の文字列を繰り返し表示	パラメータを★の数などで示すときに
TODAY	今日が何日か示す	レポートの日付を毎日更新するときに
NOW	現在の年月日時を示す	モニターを使いながらタイムキーパーをするときに
&	様々な値をつなげる	""やTEXTと併せて定型文を作るときに
""	数式に文字列を挟む	&やTEXTと併せて定型文を作るときに
TEXT	値の表示形式を変換する	&や""と併せて定型文を作るときに
IF	場合に分けて結果を表示	シミュレーションをするときに
AND	論理式の「かつ」の代わり	条件が複数あるシミュレーションに
OR	論理式の「もしくは」の代わり	条件が複数あるシミュレーションに
ISERROR	エラーの場合に特定の値を返す	エラー表示をさせたくないときに

謝辞

　全ての人が取り組める本を作成するために、この本の原稿には沢山の方々からのアドバイスをいただきました。この本をよりわかりやすいものにするための貴重なコメントをくださった、阿部耕太郎さん、飯田一弘さん、王兆怡さん、大倉裕治さん、大西洋平太さん、大野貴一郎さん、岡野祥子さん、亀井善太郎さん、木下祐馬さん、木畑宏一さん、金武偉さん、佐藤徹さん、重見有香さん、徐龍輔さん、十河亜裕子さん、高橋克周さん、塚本史さん、寺村京子さん、長濱賢吾さん、永目裕紀さん、西田一平さん、西田瑞樹さん、野尻大輔さん、朴東成さん、橋本英樹さん、福田恭幸さん、藤原牧季さん、別府文隆さん、松本哲哉さん、三木貴穂さん、村上茂久さん、吉田淳さんに、心から謝意を表します。

　また、この本は100を超える図表によって構成されており、本書の仕上げはかなりの困難を伴うものでした。通常、書籍のゲラは第2稿あたりでレビューが終わるものの、本書は第4稿までレビューすることとなりました。この困難な編集作業を最後まで仕上げてくださった齋藤宏軌さんに、心から感謝申し上げます。

　本書の最大の山場であるモデル作成においては、実務経験豊かな亀井善太郎さん、松本哲哉さん、福田恭幸さん、藤原牧季さんに特にお世話になりました。この方々のアドバイスがなかったら、本書の執筆は大いに難航してきたことでしょう。改めて、感謝申し上げる次第です。

【著者紹介】
慎 泰俊（しん　てじゅん）
五常・アンド・カンパニー創業者兼代表執行役。2006年から2010年までモルガン・スタンレー・キャピタルにて同社のグローバル不動産投資ファンドの投資業務に関わる。在籍時に作成した財務モデルおよび負債情報管理・分析システムは、後に同社で用いられるテンプレートとなった。2010年よりユニゾン・キャピタルの投資プロフェッショナルとして、投資の実行、投資先企業の経営への関与、売却の実行、財務リストラクチャリングなどに携わる。2013年末に同社を退職し、2014年7月に五常・アンド・カンパニーを創業。発展途上国における金融包摂に取り組んでいる。仕事の傍ら、2007年にNPO法人Living in Peaceを創設（2018年に代表を退任）、日本初のマイクロファイナンス投資ファンドを企画。国内では社会的養護下の子どもや難民向けの支援を行ってきた。世界経済フォーラムのヤング・グローバル・リーダー、米ビジネス・インサイダーの100 People Transforming Business in Asiaなどに選出。本州横断1648kmウルトラマラソンを完走。空手黒帯。囲碁六段。朝鮮大学校、早稲田大学大学院ファイナンス研究科修了。

外資系金融のExcel作成術
表の見せ方&財務モデルの組み方

2014年 4月17日 第1刷発行
2025年 3月24日 第13刷発行

著　者————慎　泰俊
発行者————山田徹也
発行所————東洋経済新報社
　　　　　〒103-8345　東京都中央区日本橋本石町1-2-1
　　　　　電話＝東洋経済コールセンター 03(6386)1040
　　　　　https://toyokeizai.net/

ＤＴＰ…………dig
装　丁…………dig
印刷・製本……リーブルテック
編集担当………齋藤宏軌
©2014 Shin Taejun　　Printed in Japan　　ISBN 978-4-492-55731-0

本書のコピー、スキャン、デジタル化等の無断複製は、著作権法上での例外である私的利用を除き禁じられています。本書を代行業者等の第三者に依頼してコピー、スキャンやデジタル化することは、たとえ個人や家庭内での利用であっても一切認められておりません。

落丁・乱丁本はお取替えいたします。